D1530176

Diseño de tapa: María Inés Linares / Isabel Rodrigué

CATÁSTROFES EN EL MAR

17 naufragios que hicieron historia

Diseño de tapa: María L. de Chimondeguy / Isabel Rodrigué

ADRIANA CARRASCO

CATÁSTROFES EN EL MAR

17 *naufragios que hicieron historia*

EDITORIAL SUDAMERICANA
BUENOS AIRES

IMPRESO EN LA ARGENTINA

*Queda hecho el depósito
que previene la ley 11.723.*
© *1999, Editorial Sudamericana S.A.,
Humberto I 531, Buenos Aires.*

ISBN 950-07-1571-6

AGRADECIMIENTOS

La travesía a bordo de este buque de reconocimiento histórico, signado por el destino de hacer un sondeo a través de diversas tragedias ocurridas en mares y ríos del mundo, hubiera sido imposible sin la pericia y el sentido de orientación de la primera oficial furrier Myriam Macchi (léase Maqui), que no sólo realizó concienzudas tareas de investigación de archivos y fondos oceánicos, sino que también empleó buena parte de sus energías en la elaboración de una introducción, de varios capítulos de este libro de bitácora y en las correcciones de estilo. Amén de eso, en el puente de mando, ha participado de discusiones con la comandancia acerca del rumbo a seguir, ha cebado mate y servido (menos que sorbido) grandes cantidades de té con ron en las heladas noches de invierno.

Esta capitanía general de puerto agradece también la colaboración logística del "capitán" periodista Cacho Lemos, que ha aportado gentilmente algunos ejemplares de su nutrida biblioteca, y a los trabajadores del diario *Crónica*.

Por otra parte, es imposible terminar esta lista de agradecimientos sin saludar con afecto a la diosa Iemanjá, protectora de los navegantes de mar y de las mujeres, a la diosa Oxum, que gobierna los ríos, y a los viejos Neptuno y Poseidón, que durante siglos han regido los mares grecolatinos. Aunque no por esto olvidamos a Stella Maris, la Virgen María, que ha escuchado los ruegos de tantos náufragos arrojados por la fatalidad a las aguas embravecidas.

ADRIANA CARRASCO

7

INTRODUCCIÓN

Fueron varias y poderosas las razones por las que los hombres se vieron, desde hace milenios, obligados a abandonar la tierra firme y lanzarse en pos del mar, ya sea el comercio, el ansia de descubrimiento de nuevas tierras y riquezas o la necesidad de emigrar. Antes de la llegada de los europeos a América, el océano era la morada mitológica de animales y seres monstruosos; más tarde, los productos de la imaginación resultaron fútiles ante la imponencia y las innumerables adversidades reales que las masas oceánicas presentaban a quienes se atrevían a surcarlas.

Sin embargo, a las razones objetivas quizá puedan agregarse otras más oscuras. La literatura abunda sobre las peripecias de los amantes del mar. Pero nadie mejor que Melville en su *Moby Dick* sabe explicar las motivaciones íntimas que pueden impulsar a una persona a hacerse a la mar. Así comienza la novela: "Pueden llamarme Ismael. Hace algunos años —no importa cuántos, exactamente— con poco o ningún dinero en mi billetera y nada en particular que me interesara en tierra, pensé en darme al mar y ver la parte líquida del mundo. Es mi manera de disipar la melancolía y regular la circulación. Cada vez que la boca se me tuerce en una mueca amarga; cada vez que en mi alma se posa un noviembre húmedo y lluvioso; cada vez que me sorprendo deteniéndome, a pesar de mí mismo, frente a las empresas de pompas fúnebres o sumándome al cortejo de un entierro cualquiera y, sobre todo, cada vez que me siento a tal punto dominado por la hipocondría que debo acudir a un robusto principio moral para no salir deliberadamente a la calle y derribar metódicamente los sombreros de la gente, entonces comprendo que ha llegado la hora de darme al mar lo antes posible. Esos viajes son para mí el sucedáneo de la pistola y la bala. En un arrogante gesto filosófico, Catón se arroja sobre su espada; yo, simplemente, tomo un barco".

Puede que suene exagerado pensar que Melville, de tener a mano este libro de naufragios famosos, se hubiera ahorrado un sinfín de disgustos; por lo pronto, nos hubiera privado de su magnífica novela.

Pero no es desacertado imaginar que los lectores podrán revivir a la distancia los tiempos en que el mar era la vía excluyente para pisar el nuevo continente y construir una nueva forma de vida. En efecto, los grandes transatlánticos de pasajeros que iban y volvían entre las costas europeas y americanas tienen ya el sabor de los tiempos idos, la nostalgia por un mundo donde la riqueza y la elegancia convivían con los peligros de la aventura y la fiebre de nuevas conquistas.

Veremos que en la historia de cada travesía y de cada barco —más allá de que los hayamos reunido por el sino común de la tragedia— se entretejen el sabor inconfundible de una época, los perfiles humanos y el trasfondo político. Cada barco habla del pueblo que lo creó, cada historia habla de la historia. También sobre este aspecto puede Melville echar un poco de luz: "(...) todo eso, sumado a las maravillas que esperaba descubrir en un millar de paisajes y vientos patagónicos, contribuyó a alimentar mi deseo. Para otros hombres, quizá, nada de eso habría sido un incentivo. Pero yo me siento atormentado por una inagotable ansiedad de cosas remotas. Me gusta navegar por mares prohibidos y acercarme a costas bárbaras. Sin ignorar el bien, percibo enseguida el horror, y hasta puedo vivir en buenos términos con él —siempre que el horror me lo permita—, porque me parece correcto mantener buenas relaciones con los demás inquilinos del lugar donde vivo".

Los grandes transatlánticos surgieron al promediar el siglo XIX, prolongando su protagonismo hasta mediados de nuestra centuria. En un comienzo, los desastres marítimos fueron incontables, hubo cientos de naufragios con sacrificios de varios miles de vidas. En la letanía de desastres, bastan unos pocos ejemplos. Los ingleses, pioneros de la navegación, debieron pagar por ello el alto precio del aprendizaje: el 21 de octubre de 1874, el barco vapor de ruedas de paletas "Chusan", que había zarpado de Glasgow 11 días atrás, fue azotado por un ventarrón de inmensa fuerza; la desgracia tuvo un saldo de 17 muertos. Apenas un mes después, un nuevo vapor inglés de hélices de hierro, bautizado "La Plata", fue despedazado por un viento huracanado que acabó con la vida de 68 personas. En 1875, el vapor "Borusia", con 184 tripulantes y 324 inmigrantes a bordo, fue destrozado por un huracán; todos los botes salvavidas fueron reducidos a astillas salvo dos, en los que sólo sobrevivieron 15 pasajeros. La lista es interminable, y hubiera requerido varios tomos la tarea de compilarlos todos. Escogimos, por lo tanto, presentarles una selección de diecisiete barcos cuyos naufragios han quedado en la historia por sus dramáticas consecuencias, tanto respecto del número de víctimas como de las pérdidas materiales, tesoros que —en algunos casos— aún descansan en las silenciosas geografías marinas.

El temor al océano no ha sido ni es vano. En un pequeño libro titulado *Notas oceánicas para damas*, publicado en 1877, la comentarista social británica Katherine Ledoux recomendaba la etiqueta a guardarse a bordo para los que cruzaban el Atlántico Norte. En sus notas la dama nos deja saber el pavor que solía inspirar el océano: "No entristezcáis a otros que también se esfuerzan por ser valerosos. Poned vuestras personas y las de ellos en manos de Dios, pues Él estará con vosotras y con los demás, aunque la insondable profundidad se extienda en el medio".

Ya al promediar nuestro siglo, las cosas mejoraron. No sólo se contaba con cartas de navegación más exactas, también la industria naviera se perfeccionaba y hacía frente a los océanos con barcos portentosos y más sofisticados. Sin embargo, ninguna cantidad de mármol, dorados ni terciopelos era capaz de cancelar los antiguos e inmemoriales riesgos. Ni los impresionantes caballos de potencia ni los mayores tonelajes podían equiparar un barco a vapor con la escala del Atlántico. "Unos pocos miles de toneladas más —comentó una vez un ingeniero naval— no intimidan al océano."

En efecto, en todos los barcos que se aventuran en el Atlántico Norte hay una línea de carga especial pintada en el casco. Se la identifica como "IAN": Invierno en el Atlántico Norte. Ésa es la línea más alta a la cual un navío puede ser cargado durante esa estación en dicho océano, la mayor marca de miedo y respeto.

Pero los grados del peligro son difíciles de determinar. El mal llamado Pacífico, con sus aullantes tifones, puede llegar a producir olas más grandes y vientos más destructivos que el Atlántico; el océano Índico, famoso por sus implacables monzones, produce tormentas durante estaciones enteras; los mares meridionales que rodean África y América del Sur suelen presentar espectáculos terribles a la vista, sin considerar la niebla, el hielo y las interactuantes corrientes. Con todo, el Atlántico Norte se ganó la reputación como la masa de agua más peligrosa del mundo, aunque también es el océano navegado con mayor frecuencia. De allí que sus peligros hallan acaparado la precaución mundial.

En invierno, los ventarrones suelen surgir casi sin advertencia y azotar las rutas marítimas con ráfagas de más de 100 kilómetros por hora y olas gigantescas de 30 metros. Los icebergs se separan con frecuencia de los glaciares árticos de Groenlandia e Islandia y flotan a la deriva hacia el sur, atravesando a veces las rutas de las naves que pasan.

La fascinación por los naufragios no es nueva y tiene muchas vetas, en las que la literatura y la historia tienen la misma injerencia. Al igual que las catástrofes de otra índole, los naufragios suelen despertar las miserias más ruines y los actos más valientes y despojados de los que es capaz el hombre. Pero todos tienen un denominador común, un patrón recurrente: la indominable tenacidad con que los sobrevivientes se aferran a la vida. Un par de siglos atrás era moneda corriente que marinos y pasajeros demoraran años en retornar a su patria, sobreviviendo durante semanas en un bote, aventurándose en tierras desconocidas y hostiles, a la espera del barco salvador.

Otro aspecto de los naufragios que ha acaparado la atención de exploradores particulares y empresas es la búsqueda de tesoros hundidos. En efecto, empresas como la Cía. Risdon Beazley, de Inglaterra, dedicada exclusivamente a "recuperar cargamentos", han acumulado fortunas durante décadas de sigilosa, casi secreta labor. La definición general de "tesoro" se aplica a todo cargamento de metales preciosos o de artículos que no pierden su valor si permanecen largo tiempo sumergidos en el agua salada. Por lo tanto, no sólo se incluyen el oro, la plata y los diversos diamantes, sino piezas de porcelana, cuadros, esculturas y antigüedades. Aun así, es un hecho que para muchos exploradores submarinos el hallazgo de un carozo de durazno, una prenda de vestir, una pieza de navegación o un largavistas oxidado tiene más valor que un lingote de oro, pues los adentran en un tiempo pasado ya irrecuperable, además de informarlos sobre el grado de avance técnico del buque, antes de que su reloj se detuviera por siempre.

Las actividades de este tipo, sean o no profesionales, se han ganado no pocas críticas en Occidente. Existe la creencia de que un barco hundido es una especie de tumba, el refugio sacro de las víctimas ahogadas, y que no debe ser profanado con fines comerciales. En la memoria colectiva parecen resonar todavía las palabras que Shakespeare escribiera en su última obra, *La tempestad*: "Tu padre yace cubierto por cinco brazas de agua; se han hecho coral sus huesos; los que eran ojos son perlas. Nada de él se ha dispersado, sino que fue transformado por el mar, en algo rico y extraño". Esta conciencia es válida y comprensible cuando se trata de pérdidas recientes. Sin embargo, resulta limitada y teñida de un cierto prejuicio cuando han transcurrido décadas desde el suceso, o al considerar que los orientales, por ejemplo, buscan recuperar a las víctimas para darles sepultura en tierra. De todas formas, sólo en contadas excepciones quedan los cadáveres atrapados en el casco; esto ocurre cuando el naufragio es muy repentino y el casco demasiado grande como para permitir su expulsión.

La empresa RMS Titanic Inc., con sede en Nueva York, fue acusada de profanación por haber recuperado una colección de utensilios del ex coloso. Sin embargo, miles de personas han ido a ver las exposiciones realizadas con el material recuperado. Los barcos hundidos de la Armada Real Británica durante la Segunda Guerra Mundial fueron declarados por el gobierno tumbas de guerra. Pero cuando hay intereses económicos de por medio, dicha medida es rápidamente olvidada. En 1981 el mismo gobierno se encargó de rescatar el millonario cargamento de oro que se hundió con el "HMS Edimburgh".

Esto no quiere decir que un rescate deba hacerse de modo brutal o descuidado, especialmente si existe la posibilidad de que haya cuerpos dentro del barco. El respeto a las víctimas no tiene por qué reñirse con la búsqueda de objetos de valor histórico ni con las investigaciones que permitan descifrar las razones del hundimiento. Gracias a este criterio y a la colaboración de científicos y empresarios pudo desentrañarse el misterioso naufragio del "Titanic", cuyas causas permanecieron ignoradas hasta 1987.

Con este libro esperamos acercar al lector no especializado un muestrario que lo adentrará en las distintas vicisitudes vividas por el hombre en su lucha para dominar y conocer el continente líquido, un verdadero universo paralelo al que nos sentimos misteriosamente atraídos, quizá por el mismo pavor que provoca. Mejor lo expresan estas palabras de Melville: "Pero ¡miren ustedes! Llega aun más gente. Todos avanzan hacia el agua y parecen resueltos a zambullirse. ¡Qué extraño! Nada los contentaría tanto como el límite extremo de la tierra; no les basta vagabundear a la sombra de los depósitos que rodean al puerto. No. Tienen que acercarse todo lo posible al agua, sin caer en ella. Y ahí se quedan, inmóviles, en una extensión de millas, de leguas. Todos hombres de tierra adentro: afluyen por sendas y callejas, por calles y avenidas... Desde el norte, el este, el sur, el oeste. Y sin embargo, aquí se reúnen todos. Díganme, ¿acaso los atrae el poder magnético de las brújulas de todas esas naves?"

MYRIAM MACCHI

"AGAMEMNON"
El legendario barco del almirante Nelson

La imaginación popular siempre idealiza al héroe, una figura dotada de atributos sobresalientes que encarna las aspiraciones de valor y carácter del inmenso mar de los mortales. Los griegos de la época clásica convirtieron a sus héroes en semidioses, es decir, hombres que sobresalían del común por su fuerza extraordinaria, su belleza física y su casi invulnerabilidad. A veces eran producto de la unión de un humano con un dios, pero las debilidades y apetitos de unos y otros eran netamente humanos. La mitología contribuyó no poco a que la imagen sublimada del héroe se fijara en la mente de algunos guerreros de la antigüedad. Gengis Khan, Tamerlan, transcurrieron su existencia combatiendo a caballo, insensibles a la fatiga y a las calamidades físicas. La realidad, claro está, no concuerda con esta imagen. El heroísmo es una cualidad moral, un acento vigoroso de la voluntad. El gigantesco general Dumas, padre del famoso novelista, podía matar un caballo apretándolo con las piernas, y era capaz de empinarse a pulso un tonel de vino. No obstante, fue anulado por Napoleón, un hombre físicamente inferior a él, de estatura irrisoria y salud frágil.

Pero si hay un personaje que rompe el molde clásico es el almirante inglés vizconde Horatio Nelson, el héroe de Trafalgar. Fue un individuo enfermizo, y el catálogo magnífico de sus hazañas parece increíble cuando se conoce el cúmulo de calamidades físicas que lo aquejaron desde temprana edad. Vivió 47 años doloridos e intensos, entre combates memorables a bordo del legendario "Agamemnon" y amoríos con ribetes de escándalo, hasta que una bala

15

puso fin a sus días cuando estaba ganando su batalla más gloriosa.

Nació en Burnham, Thorpe, condado de Norfolk, el 29 de setiembre de 1758. Desde muy joven ya se había definido por su vocación de marino, y a los 12 años sentaba plaza en el "Raisonable", barco cuyo capitán era su tío: Maurice Suckling. En esa época no había liceos y los marinos no tenían más escuela que los barcos. Aprendían navegando incesantemente, luchando con el mar, las velas, y muy frecuentemente con las penurias y las privaciones. Esta dura escuela desalentaba a muchos de los llamados, pero los elegidos resultaban verdaderos capitanes. Desde su primer viaje, Horatio Nelson se afirmó en el puente de mando. Estuvo en las Antillas y navegó entre los hielos del Polo Norte. En 1771 fue a la India. De niño, su poca estatura, así como su contextura frágil, lo había mantenido en un continuo estado febril. En la India contrajo paludismo y sus sufrimientos aumentaron. Todas las tardes tenía ataques de fiebre que terminaron minando en tal forma su físico que sus superiores lo devolvieron a Inglaterra para ver si el clima favorecía su restablecimiento.

Luego de un tiempo de reposo, Nelson se sintió bastante fuerte como para embarcarse en el "Lowestoft", que lo llevó a Jamaica, donde permaneció tres años. Sus ascensos fueron rápidos. Era marino de raza y a los 21 años recibió los galones de capitán. En ese período, cuando se hallaba en su primera juventud, un incidente casi lo lleva a la tumba. Se intoxicó en un manantial, bebiendo el agua que los indígenas habían envenenado para capturar peces. Después de intensos cuidados se logró ponerlo a salvo. Sin embargo, su salud quedaría afectada por siempre.

Más tarde, toda la tripulación enfermó de los intestinos, y murieron 145 de un total de 200 hombres enfermos. Entre los 65 sobrevivientes estaba el capitán Nelson, que debió ser enviado a Port Royal, donde tuvo que seguir un tratamiento de cuatro meses que felizmente lo puso en pie. En esa época escribía a los suyos disculpándose de ser lacónico: "Apenas puedo sostener la pluma", decía.

Su recuperación fue relativa. Continuamente le dolían los brazos y las piernas, por lo que tuvo que volver a Londres y ponerse en manos de uno de los más eminentes cirujanos. Pero ninguna enfermedad podía con la virilidad de Nelson. En 1783 recorrió Francia, aprovechando un período de calma física. Allí se enamoró y pretendió casarse con una muchacha que había conocido durante sus paseos. Algo parecido le ocurrió en 1784 en Canadá, donde el clima le sentó muy bien, tanto que le dieron nuevas ganas de casarse con una joven de Quebec, por cuya belleza estuvo a punto de abandonar la carrera. Por fortuna para Inglaterra, fue disuadido por un oficial superior.

Hacia 1784 se embarcó en el "Boreas" con destino a las islas de Sotavento. Allí aplicó, inflexible, sanciones a los buques norteamericanos que no cumplían las prescripciones del acta de navegación.

Pasó tres años en las Indias Orientales, donde su salud volvió a deteriorarse, obligándolo a volver a su tierra.

En 1787, Nelson contrajo matrimonio con Frances (Fanny) Herbert, viuda de Nisbet, lo que lo obligó a residir en tierra en compañía de su esposa. En su nueva vida de casado recuperó su salud, que se mantuvo sin acusar incidentes. Pero en él, como en los caracoles, bullía el incesante murmullo del mar. No era lo que se dice un hombre de hogar, con alegrías y festejos a fecha fija, el cuidado del jardín y las lecturas junto a la lámpara. En realidad, se aburría como una ostra. Anhelaba el rugir furioso de las tempestades, el agitado puente de mando, el zarandeo peligroso sobre las olas, la voz ronca del cañón, los alaridos del abordaje, entre el estrépito de las velas desgarradas y el viento enloquecido.

Un día —habían pasado poco más de cinco años— escribió al Almirantazgo ofreciéndole sus servicios y su experiencia. Esa carta cambiaría su vida y la historia de Inglaterra. Le confiaron el "Agamemnon" y en agosto de 1793 fue enviado a Nápoles. Ese viaje sería decisivo en su vida. Allí conoció a lady Hamilton, esposa del embajador de Su Majestad Británica. La amistad y simpatía entre ambos fue inmediata, y así comenzaría uno de los romances más famosos de la historia. Aunque aún no lo sabía, había encontrado a la mujer de su vida, la única persona que ejercería verdadera influencia en sus actos.

En pos del mar

Ya embarcado en la aventura, Nelson ni siquiera puede hacer una rápida visita a su esposa, pues enseguida lo destinan a nuevas empresas: al sitio de Cádiz, al aciago ataque al puerto de Santa Cruz de Tenerife, donde la metralla le destroza el brazo derecho... Todo a cambio de algunas distinciones y una pensión de mil libras anuales... ¿Qué le queda? Piensa retirarse al campo, vegetar en aquella casita de Roundwood junto a su mujer, pero Bonaparte no descansa, su mirada abarca toda Europa, y Gran Bretaña se encontraba sola, entre el orden establecido y la revolución mundial. En Lisboa, sube al puente de mando del "Vanguard", enfrenta a Tolón, donde Bonaparte en persona alista poderosas fuerzas; una tempestad dispersa la flota inglesa, la priva de veloces regatas exploradoras y favorece a los franceses, que parten viento en popa... Sin los empeños de la inefable Emma Hamilton ante la reina María Carolina, ¿cómo reponerse del desastre? ¿Cómo perseguir a la escuadra fugitiva hasta descubrirla en Abukir? Abukir, otra victoria decisiva —a duras penas huyen dos buques—; una herida en la frente, que le desgarra la carne sobre el ojo sano... Sí, ahora sí, honores, títulos y regalos lo acosan, lo abruman... Pero cuando llega a Nápoles hecho una piltrafa, y lady Hamilton sube al "Vanguard", su último buque, para saludarlo, no puede contener la horrorizada exclamación: "¿Es posible? ¡Dios mío!", y se desmayó *en su brazo*... A decir verdad, nunca había sido hermoso ni fuerte, mas trocaría honores, títulos y dádivas con tal de volver a verse como cinco años atrás, cuando conoció a esa mujer, sabia en coqueterías, que lo trastorna al punto de hacerle olvidar sus deberes conyugales. ¿Cómo puede hacerse amar un hombre al que le faltan un ojo y un brazo, amén de otras heridas? Y, sin embargo... ¿no le dedica ella frases insinuantes, miradas incendiarias, gestos alentadores?

Un bote que arriba a la escala de babor corta sus meditaciones. Un marinero sube afanoso al "Agamemnon" y le entrega la carta traída por el botero; es una cortés invitación de sir Hamilton para hospedarse en el palacio Sessa, sede de la embajada inglesa, mientras dure su permanencia en Nápoles.

—¡Espera! —grita Nelson al botero con trazas de mendigo, que se apresta a retornar a tierra—. Iré contigo. ¡Rápido! ¡Mueve esos remos!

Y en ese minuto, Nelson decide su futuro sentimental, se entrega en cuerpo y alma a Emma Hamilton, a quien no en vano el pintor George Rommey tomara por modelo de Circe. Su entrega sólo tiene parangón con su pasión por el mar, y ambas lo consumirán entre el éxtasis y el desgarro.

El escándalo

El amorío de Nelson pronto trasciende, lo conoce y critica todo el mundo entre esa rígida aristocracia inglesa que tanto debe al marino. Si fuera menos grande, menos necesario, lo hubiesen arrojado de los salones como a un criminal, como a un perro. Le reprochan sus orgías en Palermo —donde se refugiara la temerosa corte napolitana al acercarse los franceses—, su desembozado *ménage à trois* con los Hamilton, la restauración del "narizotas" a costa del asesinato legal del príncipe Francisco Caracciolo, el abandono de Malta. Cuando lo intiman a que regrese a Inglaterra, le niegan una fragata para el viaje, ese peligroso, incómodo y tragicómico viaje de tres fracasados: Emma encinta, Hamilton achacoso, Nelson lisiado... Bonaparte valoriza una vez más a Nelson, pues sus ejércitos han triunfado en Marengo sobre los austríacos. De otra manera, el recibimiento del duque de Bronté y lord de Seaforth —nuevos títulos de Nelson— hubiese sido muy distinto. Aun así, los honores oficiales contrastan con los desaires privados; únicamente el pueblo permanece fiel a su héroe, cuyo nombre y hazañas canta en una estrofa intercalada en el "Rule Britannia"... Para colmo, su esposa, Fanny, harta de la situación, rompe con él y acrecienta el escándalo. A Nelson le restan dos satisfacciones exclusivas: Emma le da una hija, Horatia, e Inglaterra lo necesita. Apenas las tropas de Napoleón conquistan un puerto, allá va Nelson en el "Agamemnon" para bloquearlo. En vano los neutrales, Rusia, Prusia, Dinamarca y Suecia, protestan y se alían para sostener el derecho de recorrer libremente los mares. El bombardeo de Copenhague —acción audaz e indisciplinada de Nelson, por entonces segundo de Parker— quebranta la alianza y asegura a Gran Bretaña el dominio de los mares, incluso con el abusivo derecho de inspeccionar barcos neutrales. Nelson, enfermo, quebrantado y semiciego, quiere descansar, reunirse con Emma y con su hija. Todavía no. Inglaterra sigue en peligro, y únicamente después de deshacer a cañonazos el amago de invasión que Bonaparte organiza en Boulogne-sur-Mer, y de firmarse la paz de Amiens, que ninguna de las cuatro naciones signatarias respeta, pero significa tregua, puede volver al refugio de Merton, la casa que comparte con los Hamilton.

¿Para qué, si la enojosa situación vuelve a repetirse? Honores, desaires, títulos, reproches, dádivas, desprecios... Además, Fanny, su esposa, y Emma, su amor, envejecen; sucesivamente mueren su padre, Edmundo Willet Payne —primer amigo de Emma—, George Rommey, que la inmortalizó en sus cuadros, lord Hamilton... También él se siente envejecido, desesperanzado, ciego casi. Le restan las ternuras de Emma, el cariño de Horatia, sus glorias, cada día más discutidas...

Pero Bonaparte, el eterno enemigo, planea nuevos golpes, e Inglaterra vuelve sus ojos angustiados al defensor, al hombre que hostiga y vilipendia, al que no perdona la sinceridad de una pasión amorosa... Keith, Cornwalles y Nelson (a quien en febrero le nace otra hija, Emma, que muere poco después) evitan la invasión de Inglaterra; luego, cuando España se alía con Francia y la escuadra de ésta, al mando de Villeneuve, burla el bloqueo, Nelson la persigue implacablemente hasta las Antillas y regresa a Europa tras ella. El proyecto queda desbaratado, la amenaza subsiste.

Por espacio de tres semanas, Nelson, de retorno en Merton, goza ardorosa, desesperadamente de la felicidad hogareña. Abraza de continuo a Emma, juega sin tregua con Horatia. Hasta que una mañana de setiembre, un oficial de marina, Enrique Blackwood, trae perentorias órdenes del Almirantazgo: Villeneuve, repuesto, se ha unido en Cádiz a la armada española. El viernes 13, a las diez y media de la noche, parte Nelson "arrebatado de mi querido Merton para servir a mi rey y a Inglaterra".

Va acongojado, como nunca, por malos presentimientos: incluso fue a contemplar el ataúd, hecho con los restos del palo mayor del "Oriente" —trofeo de Abukir— por Ben Hallowell... Y acierta; va hacia la muerte, hacia la ajena gloria del futuro. Va hacia Trafalgar, la última gran batalla de buques de vela...

Y tal vez su muerte habría resultado menos estoica si hubiera sabido que la inflexible Inglaterra desconocería su postrera voluntad: velar por la existencia de sus dos grandes amores, Emma y Horatia.

Tales fueron los trágicos avatares de Nelson, que ya una vez, con el nacimiento del cine "sonoro y parlante", tentaron a sus realizadores. Luego la Guaranteed Pictures brindó su versión con "Lady Hamilton", dirigida por el productor Alexander Korda, sobre un guión de Walter Keisch y Robert Cedric Sherrif, y cuyos principales personajes fueron interpretados por Vivien Leigh, Laurence Olivier, Sara Allgood, Alan Mowbray, Gladys George, Henry Wilcoxom, y otros artistas, hoy, al igual que sus personajes, muertos.

El "Agamemnon"

En 1781 fue botado el legendario velero "Agamemnon", construido en el astillero de Henry Adams. Su maciza quilla de olmo medía casi 132 pies. Por lo demás, estaba construido con el mejor roble inglés, y su casco estaba pintado de negro brillante con bandas amarillas quebradas por las escotillas negras de las portas.

En medio de la proa sobresalía la imponente figura tallada de "Agamemnon", el legendario rey de Micenas evocado por Homero en la *Ilíada*.

De acuerdo con el libro *Agamemnon*, de Anthony Deane, fue un navío extremadamente caro de construir, a pesar de haber contado con expertos carpinteros que utilizaron al máximo la madera. Sólo la construcción del casco, con mástiles y vergas, costó 20.579 libras, una fortuna para la época. Dicho precio, sin embargo, resultó "barato" si se considera que el desempeño del barco en las guerras napoleónicas, al mando del genial comandante Nelson, contribuiría no poco a consolidar la hegemonía naval del imperio británico.

Escribe Deane: "Aunque la construcción naval era un arte desde hacía varios siglos, fue transformándose en una ciencia a medida que se diseñaban barcos específicamente para la guerra, en tiempos en que el mar era un campo de batalla decisivo. En la época del 'Agamemnon', sin embargo, todavía faltaba que la precisión se sumara a la navegabilidad, pues los barcos de guerra más grandes muchas veces navegaban peor que sus antecesores más pequeños, dado que los errores de diseño se proyectaban geométricamente en los barcos mayores.

"El 'Agamemnon' era uno de los siete barcos británicos de guerra construidos con el diseño del famoso arquitecto naval Sir Thomas Slade, Inspector Superior de la Armada, y también autor de los planos del famoso 'Victory'. Slade fue quizás el mejor arquitecto naval que tuvo Inglaterra y, como en el caso del 'Agamemnon', se seguían construyendo barcos a partir de sus planos luego de su muerte en 1771. Slade dio a su serie de brillantes diseños el toque mágico de la proporción y el equilibrio, que destacaban a sus barcos por su velocidad y maniobrabilidad.

"Estos barcos eran, esencialmente, plataformas flotantes de cañones, de las que difícilmente pudiera esperarse más que una velocidad y habilidad de navegación moderadas, según nuestros patrones de medida actuales. Su inmensa masa debía ser propulsada a través del agua por la más complicada colección de mástiles, vergas, cabos, aparejos y velas jamás inventada por el hombre para aprovechar la acción del viento."

El "Agamemnon" era un "64, barco de la línea, de tercera clase". Esto significa que estaba armado con 64 cañones y destinado a combate de línea, es decir, que su función era formar una línea de combate para enfrentar un flanco enemigo dotado de una línea de armamento similar.

Los buques navales estaban clasificados de acuerdo con el número de troneras a través de las cuales una pieza de artillería podía hacer fuego. De este modo, un barco al que se le hubieran quitado sus piezas de artillería seguía conservando su clasificación original. En esta época, un barco de primera clase llevaba 100 piezas y su tripulación ascendía a 875 hombres; uno de segunda poseía más de 80, con una tripulación de 750 marinos; uno de tercera podía tener entre 74 y 64 piezas y una tripulación fija de 650 hombres; uno de cuarta tenía 50 troneras y 420 hombres; de quinta, 44 y una tripulación de 300 marinos, y uno de sexta clase entre 28 y 20 troneras y un total de 200 tripulantes. Sólo los barcos de las tres primeras clases eran considerados aptos para combatir en línea, de allí que se los llamara "barcos de la línea".

Los infantes de marina eran asignados a los buques a razón de uno por pieza: un capitán y tres subalternos para los barcos de 74 piezas y superiores; un capitán y dos subalternos para los de 64 piezas; dos tenientes para los de 50 piezas, un subalterno para los de 20 a 44 piezas. En la corbeta, el mando de las piezas lo tenía un sargento.

Las batallas

Eran años convulsionados en los que Gran Bretaña reaccionaba contra la anexión francesa de Bélgica, hasta ese momento territorio austríaco, y especialmente contra el peligro de la posible expansión de la Revolución Francesa en Europa.

En 1793 Inglaterra forzó la primera coalición, de la que participaron los Estados alemanes, España, Portugal, Holanda, Austria, Prusia, Cerdeña y Nápoles. Las tropas aliadas hicieron rápidos progresos y Francia se encontró en una situación verdaderamente crítica. Estaba asediada, rodeada por sus enemigos. Así, Bélgica fue reconquistada por sus enemigos, mientras Perpiñán y Bayona caían en manos de los españoles. Maguncia y Alsacia fueron ocupadas por los prusianos y Tolón se rendía ante los anglo-españoles.

Cuando todo parecía perdido, la Convención dispuso movilizar a toda la nación para hacer frente al peligro exterior. Concentró su poder en el Comité de Salvación Pública, uno de cuyos miembros, Lázare Carnot, encargado de los asuntos militares, se constituyó en el verdadero "organizador de la victoria".

Merced a su tesonera labor, la República llegó a contar con más de setecientos mil hombres adiestrados y bien armados. Al finalizar 1793, la disciplina y el patriotismo habían logrado contener la invasión extranjera, y las operaciones favorecían a los ejércitos de la Revolución. Finalmente, los aliados aceptarían la paz por separado: Prusia, España y varios Estados alemanes firmaron el Tratado de Basilea (1795), que resultó muy ventajoso para Francia. Los holandeses suscribieron el pacto de La Haya y cedieron las provincias de la orilla izquierda del Rin. Sólo Gran Bretaña continuaría en pie de guerra, y en 1796 comenzaría su prolongada guerra contra Napoleón, reforzada mediante nuevas alianzas con el resto de los países europeos.

En este contexto, Horatio Nelson es comisionado por el contraalmirante Samuel Hood a comandar el "Agamemnon", el 30 de enero de 1793. Dos días después, el 1º de febrero, Francia le declara la guerra a Gran Bretaña y a Holanda.

Hood le encomienda a Nelson una misión diplomática: navegar hasta Nápoles para solicitar al ministro plenipotenciario británico ante la corte de las Dos Sicilias, sir William Hamilton, que convenza al rey Fernando I de Borbón de que lo provea de tropas y armamento. Nelson resuelve exitosamente el encargo, recibiendo la promesa del rey de colaborar con 5.000 hombres.

Para homenajear a sir Hamilton por su valiosa intermediación, Nelson lo invita junto a su esposa a un almuerzo en el "Agamemnon". Así fue como el fogoso comandante quedó subyugado ante la belleza y personalidad de Emma Hamilton, quien más tarde se convertiría en su esposa.

La conquista de Córcega

Samuel Hood, satisfecho con el éxito de Nelson, le ordena reunirse a la escuadra del comodoro Robert Linzee, en Caligari. El "Agamemnon", con una escasa tripulación que no alcanza a cubrir las cañoneras, se lanza igualmente hacia las costas de Cerdeña. Allí divisa y enfrenta a la fragata "Melpómene", con la que tiene un arduo enfrentamiento, notoriamente desfavorable a la fragata francesa. Sin embargo, el "Agamemnon" termina con la arboladura destrozada y las velas agujereadas por la acción de la artillería enemiga.

Aquí sucede algo que es digno de mencionarse, pues retrata vivamente el singular carácter del comandante británico. Ante el estado calamitoso de la nave, y aunque el balance de la batalla se encuentra notablemente a su favor, Nelson consulta a sus oficiales subalternos sobre qué decisión tomar. Este gesto democrático era muy ajeno a lo que solía esperarse de un capitán. La respuesta es unánime: los oficiales deciden que el barco debe ser resguardado urgentemente del fuego, aun a costa de una victoria definitiva. Nelson acata la decisión, que por otra parte concordaba con la suya.

El "Agamemnon" siguió viaje para reunirse con el comodoro Linzee en Caligari, donde el barco fue debidamente reparado de los estragos de la batalla.

Perdida Tolón, lord Hood decide trasladarse a Córcega para asentar desde allí su ofensiva. Para ello era preciso anexar Bastia, en el extremo nordeste de la isla. El 3 de abril de 1794 el coronel Vilettes y el capitán Nelson desembarcan con 1.300 soldados y marinos, armados con 16 cañones y morteros. La ciudadela fue atacada con todo el poder del arsenal británico durante días enteros, tras los cuales su población quedó sin municiones ni víveres. Bastia pasó así a manos de los ingleses.

La batalla de Calvi

En junio de ese año, Hood decide anexar Calvi para fortalecer su posición en la isla. El "Agamemnon", junto con otros barcos de la línea, navega hasta el extremo opuesto de la isla y pone nuevamente a disposición de las tropas terrestres sus cañones y sus marineros.

El 10 de julio, en pleno fragor de la lucha, Nelson recibe el impacto de una piedra en la cara, arrojada al aire por una munición enemiga. El accidente le cuesta el ojo derecho y algunas heridas en el pecho. Exactamente un mes más tarde, las autoridades de Calvi se rindieron y los británicos dieron por cumplido su objetivo.

En marzo de 1795, el "Agamemnon" se dirige a reconquistar Tolón formando parte de una flota de catorce barcos comandados por el almirante William Hotham. En el camino avistan una escuadra enemiga de 17 barcos comandados por el contraalmirante Pierre Martin.

La flota británica forma la línea de combate y avanza hacia el enemigo. Pero los barcos franceses, como escabulléndose del desafío, prosiguen su marcha sin presentar combate. La torpeza francesa llega hasta el punto de que dos de sus naves, el "Mercure" y el "Victoria", ambas de segunda línea, chocan entre sí perdiendo sus respectivos mástiles.

A bordo del "Agamemnon", Nelson parece agrandarse ante la inmovilidad francesa y decide acercarse al "Ça Ira", un monstruo de 120 cañones capaz de albergar dos veces al "Agamemnon". Para alivianar el barco, Nelson arroja siete bueyes vivos al mar y, maniobrando con astucia su navío, alcanza la inmensa popa del "Ça Ira". Desde allí dispara contra el gigante dando vueltas a su alrededor durante cuatro horas ininterrumpidas. Cuando Hotham ordena a Nelson detener la ofensiva, el "Ça Ira" está virtualmente destrozado, con centenares de bajas, mientras su minúsculo enemigo regresa a su posición en la línea con sólo siete heridos en su haber.

En marzo de 1796, Nelson es ascendido a comodoro y destinado al HMS "Captain", de 74 cañones. Resignado, Nelson deja el "Agamemnon" en Inglaterra, donde es reparado para continuar con su gloriosa odisea.

La batalla de Copenhague

La ofensiva de Copenhague tuvo lugar a partir del giro político del imprevisible zar Pablo de Rusia, hasta ese momento neutral, quien había llegado a un acuerdo secreto con Napoleón y concretado una alianza con Francia. Inmediatamente, prohibió el comercio con los ingleses y desempolvó un antiguo tratado con Suecia, Noruega, Dinamarca y Prusia por el que denegaba a Gran Bretaña el acceso al Mar Báltico. Inglaterra reaccionó enviando una inmensa flota al Báltico para someter a los daneses y a los suecos, y evitar así que siguieran proporcionando ayuda económica a Francia. Dicha flota estaba comandada por sir Hyde Parker, y su segundo era el ya vicealmirante Nelson.

El 1º de abril de 1801, la flota de Parker sitia la capital danesa, dispuesta al ataque. Al frente avanzaba el "Edgar", seguido por el "Agamemnon", que encalla en la orilla junto con otros barcos. Pero la batalla ya había comenzado y los británicos debieron hacerle frente con una cuarta parte de su flota varada en la arena. Luego de horas de combate, Parker consideró que la superioridad enemiga hacía aconsejable la retirada, y envió una señal para informárselo a Nelson. Fue en esa oportunidad cuando el inefable inglés, poniéndose el telescopio en el ojo ciego, dijo: "Yo no veo ninguna señal. ¡Sigan adelante!".

Y Nelson tenía razón, porque los británicos estaban más y mejor armados que los daneses, y los vencieron por cansancio luego de horas de combate. Lamentablemente, el "Agamemnon" no fue protagonista de esta victoria, pues quedó inutilizado en la costa durante el curso de toda la batalla.

La victoria de Trafalgar

Nelson se encontraba en Inglaterra cuando se firmó la Paz de Amiens (1802-1803), que puso fin temporalmente a la lucha entre Gran Bretaña y Francia. Cuando se reanudó la guerra en 1803, se le asignó el mando de la flota británica del Mediterráneo. Ya había sido honrado, meses después de la batalla de Copenhague, con el título de vizconde.

Nelson bloqueó Tolón, donde se encontraban numerosas naves francesas, dirigidas por el vicealmirante Pierre Charles de Villeneuve, armadas hasta los dientes para invadir las islas británicas. Consiguió retener a los franceses en esa base naval durante dos años, pero lograron escapar en 1805 y se dirigieron hacia las Antillas. Nelson inició la persecución, pero el enemigo consiguió evitarlo y regresar a Europa. Los franceses se refugiaron en Cádiz, donde se les unieron varios navíos españoles. Los británicos comandados por Nelson bloquearon la ciudad, a la espera de que la flota enemiga, hambreada y arrinconada, se lanzara al mar. En efecto, el 20 de octubre las naves francesas y españolas abandonaron Cádiz rumbo al estrecho de Gibraltar. Al día siguiente, ambas flotas se encontraban en Trafalgar, a mitad de camino entre Cádiz y Tarifa.

Al amanecer del 21 de octubre, Barry dirigió al "Agamemnon" hasta su posición en la línea. Las dos poderosas flotas avanzaban hacia el encuentro dispuestas a todo. En el momento que Nelson consideró propicio, emitió al resto de las naves la señal que lo hiciera famoso: "Inglaterra espera que cada hombre cumpla con su deber". La frase tuvo un efecto mágico sobre el ánimo de las tripulaciones inglesas, que hicieron del deber en abstracto una causa casi personal. Momentos después, Villeneuve, desde el "Bucentaure", abría el fuego con toda la potencia de su arsenal.

El "Agamemnon" logró destruir al "Heros" y luego se acercó al

"Santísima Trinidad", el buque de guerra más grande y poderoso del mundo, con 136 troneras. Con la ayuda del "Neptune" y el "Conqueror", el "Agamemnon" logró devastarlo por completo en una de las maniobras más hábiles de la batalla. Pero hacia el mediodía, Nelson recibió un disparo en la cubierta del "Victory", cuya herida le provocó la muerte pocos minutos después.

A media tarde, el vicealmirante Villeneuve presentó su rendición. El "Agamemnon", con serias averías pero con su tripulación casi intacta, rumbeó hacia Gibraltar ingeniándoselas para remolcar al "Colossus".

El naufragio en el Río de la Plata

Después de la muerte de Nelson, el "Agamemnon" participaría en dos enfrentamientos más: en la batalla de Santo Domingo, donde, siempre al mando del inefable capitán Barry, fue severamente averiado, y luego en el sitio de Copenhague, en ambos casos con éxito.

En 1809, ya bajo el mando del capitán Jonas Rose, el "Agamemnon" participó de la ofensiva británica contra los franceses en Brasil. El viejo barco había hecho ya más de lo que podía, y en Río de Janeiro fue reparado por enésima vez bajo la supervisión de Rose, quien preparó un informe sobre su maltrecho estado al almirante William Sydney Smith, a cargo de la flota británica. Dicho informe salvaría posteriormente a Rose de morir ahorcado por no haberse hundido con su barco. En mayo, Smith fue reemplazado por el contraalmirante Michael de Courcy al frente de la escuadra Brasil. A él llegó un informe de las autoridades inglesas en el que se le hacía saber que una escuadra francesa, eludiendo el bloqueo inglés, había puesto rumbo al Río de la Plata. La orden era seguir el trayecto de la escuadra hacia el sur y poner al tanto a las autoridades argentinas y uruguayas sobre una posible invasión napoleónica. La flota británica puso proa hacia el Río de la Plata, haciendo frente a los inclementes calores del trópico y a las sudestadas que la castigaban sin respiro. La tripulación del "Agamemnon", soportando el agotamiento y la fiebre, se puso una vez más a disposición de su capitán.

El 18 de junio la escuadra se acercaba al Río de la Plata haciendo frente a una espesa niebla. A la altura de la isla Gorriti, ya próximo a fondear, el "Agamemnon" se vio en problemas. La poca profundidad del río hizo que su popa tocara fondo y quedara encallada. Todas las maniobras resultaron inútiles, el barco parecía haberse echado para morir, como un animal viejo y exhausto, y era inamovible. Rose ordenó arriar los botes, mientras el "Agamemnon" se inclinaba a estribor. En tanto el agua entraba a borbotones, la tripulación descendía a los botes. El almirante De Courcy, desde el buque insignia "Foudroyant", ordenó a las demás naves que fueran en su ayuda y despachó más botes para albergar a los tripulantes. Rose, por su parte, mandó bajar las provisiones, velas, cabos, brazas y todo lo que fuese de utilidad.

La tarde se había puesto fría y lluviosa cuando Rose, los oficiales y los últimos tripulantes se despedían del noble navío parados en la cubierta inclinada. Al parecer, algunos viejos lobos de mar lloraron a cara descubierta cuando el capitán dio la orden de abandonar el barco. El último en descender fue Rose. Ya en el bote, el esfuerzo de remar y la cortina de lluvia contribuían a disimular las lágrimas y el dolor de ese puñado de hombres que se negaba a volver la cabeza hacia el buque herido de muerte, como si no fuera posible que algo venciera al "Agamemnon", como si las imágenes gloriosas del recuerdo no merecieran estropearse con la instantánea insoportable de su desolación final.

"CENTRAL AMERICA"
La fiebre del oro

La historia del "Central America" comenzó el 24 de enero de 1848, cuando se descubrió por primera vez oro en California. Para comprender cabalmente quiénes viajaban en el "Central America" y cuál era su función, repasaremos brevemente la historia apasionante de la fiebre del oro.

La mañana de ese 24 de enero se presentó ante Juan Augusto Sutter —el fundador de la colonia Nueva Helvecia— James W. Marshall, su carpintero, solicitándole entrevistarse inmediatamente con él. Marshall, un individuo excéntrico y caprichoso, al que Sutter había enviado a su granja del valle de Coloma para que instalase una nueva sierra eléctrica, había regresado sin su permiso y lo miraba temblando de los nervios. Sin articular palabra, el hombre sacó del bolsillo un puñado de arena en el que brillaban unos cuantos granitos amarillos. Según dijo después, los había encontrado el día anterior mientras cavaba junto a las aguas del río Americano. Sutter tomó la arena, analizó el metal y comprobó que se trataba de oro. Este descubrimiento estaba llamado a revolucionar la historia del Oeste y a enloquecer a casi toda una generación no sólo de los Estados Unidos, sino de todos los extremos del mundo, desde donde acudirían verdaderos ejércitos de aventureros atacados por la "fiebre del oro".

Sutter acudió al otro día con su carpintero y comprobó que en el lecho del río había brillantes pepitas de oro, que podían ser extraídas con sólo desviar un poco el curso de las aguas y cernir sus arenas con un tamiz. Pensando que el dorado metal lo convertiría en el hombre más rico del mundo, el suizo reunió a los pocos blancos que vivían

29

con él y les exigió que guardaran silencio sobre el hecho. Desgraciadamente para él, a la semana uno de sus hombres le comentó el hallazgo a un vagabundo y le obsequió unas pepitas de oro. La noticia corrió a velocidad luz. Primero fue Sam Brannan, un influyente mormón de San Francisco, quien al volver de Coloma con una botella llena de oro empezó a gritar enloquecido por las calles: "Oro, oro... hay oro en el río Americano".

Un frenesí de codicia se apoderó entonces de los californianos y todos se encaminaron hacia el río provistos de cernidores y cacerolas de metal. Los herreros abandonaron la fragua, los pastores el ganado, los viñadores las vides, los soldados los fusiles, los escribientes la pluma y los marineros los barcos, en pos del vellocino de oro. La nueva pronto atravesó mares y continentes, y de todas las ciudades y los puertos empezaron a llegar ansiosas multitudes, donde se mezclaban norteamericanos, sudamericanos, europeos y chinos. Incansables caravanas empezaron a llegar del Este al Oeste, a pie, a caballo o en carros. Las hordas brutales y desenfrenadas no reconocían más ley que la de los puños y el revólver. Mientras tanto, los diarios informaban que "se han cumplido los sueños 'dorados' de Cortés y Pizarro... Estamos en los umbrales de la Edad de Oro". En efecto, la abundancia del metal era tal que podía enriquecer a todo un estado.

El hombre más rico del mundo

Mientras en toda América despedían a los buscadores de oro que se dirigían a California con la canción que decía: "Oh Susana, no llores más por mí", la fiebre del oro había significado la ruina de Juan Augusto Sutter, quien en un momento pensó que sería "el hombre más rico del mundo". Las caravanas de gente empezaron a instalarse en sus tierras como si fueran de ellos, a sacrificar su ganado para alimentarse, a derribar sus graneros para construir cabañas con sus maderas, hasta que Nueva Helvecia desapareció devastada por el delirio aurífero. Sutter, sumido en la quiebra, intentó al principio aprovechar algo de la nueva riqueza, pero todos sus sirvientes lo habían abandonado. No le quedó más remedio, entonces, que retirarse a una granja apartada, El Ermitage, y desde allí maldecir las arenas del río Americano.

Pero el tenaz suizo no se dio por vencido y en 1850 se presentó a los tribunales a declarar que todas las tierras en las que se había extendido la ciudad de San Francisco —ya una gran metrópoli gracias a la fiebre del oro— le pertenecían. Sutter consideró en su reclamo que el estado de California estaba obligado a indemnizarlo por todos los daños y perjuicios a su propiedad. Pidió que los 17.221 colonos que habían ocupado sus tierras fueran desalojados y solicitó 25 millones de dólares por los caminos, puentes, canales, balsas y molinos de su propiedad que habían pasado a manos del Estado. Tras un largo proceso, el 15 de marzo de 1855 el juez Thompson, primer magistrado de California, reconoció los derechos de Sutter y aceptó todas sus demandas. Por fin, Sutter había logrado ser "el hombre más rico del mundo".

Sin embargo, jamás pudo hacer efectivos sus derechos. Los propietarios perjudicados, apenas enterados de la sentencia, hicieron estallar en San Francisco un gran motín. El Palacio de Justicia fue incendiado y las pocas posesiones que le quedaban a Sutter fueron completamente destruidas. Amedrentada, la justicia local desconoció la sentencia y archivó el proceso indefinidamente. Fueron pasando los años y Sutter, obsesionado por que se reabriera el proceso, se fue desequilibrando mentalmente. Luego de que abogados sin escrúpulos le sacaran hasta el último centavo, impulsándolo a entablar nuevas demandas, Sutter falleció de un ataque cardíaco el 17 de julio de 1880 en las escalinatas del Palacio del Congreso, al que, ya en un estado de semiimbecilidad, había acudido con su eterno reclamo.

La vía marítima

Retornando de la digresión planteada por la jugosa y trágica vida de Sutter, entre 1848 y 1851 el flujo de inmigrantes a California, que llegaban por mar dando la vuelta por el cabo de Hornos, o por tierra siguiendo la ruta del South Pass o bien las del sur de los Estados Unidos, alcanzó a unos 80 mil buscadores anuales. Todos sufrieron penurias terribles, a pesar de que los libros-guía pintaban aquellas rutas como caminos idílicos.

Muchos, sin embargo, descubrieron la conveniencia de tomar la ruta marítima, que si bien no era un lecho de rosas —viajar no lo era en esa época— les ahorraba el calvario interminable del viaje en carreta. Se embarcaban en Nueva York, Filadelfia o Boston, y se dirigían a Panamá. Luego atravesaban el istmo por tren y, siguiendo en canoas el curso del río Chagres, llegaban a la vieja ciudad de Panamá, a orillas del Pacífico, después de un viaje infernal entre pantanos, mosquitos y lluvias tropicales. Allí debían esperar, a veces durante meses, que uno de los barcos de la línea del Pacífico los transportara a California.

Uno de esos barcos era un vapor construido en madera con rueda lateral, tres puentes, tres palos y un peso de 2.141 toneladas. Era el SS "Central America", un navío mediano de 85 metros de eslora, 11 metros de anchura y un calado de 9,75 metros.

Un naufragio millonario

Hacia setiembre de 1857, el "Central America" había realizado 43 viajes completos y se disponía a partir nuevamente hacia Nueva York desde Aspinwall, en el lado caribeño de Panamá. Había embarcado unas tres toneladas de barras y monedas de oro por un valor de 1.219.179 dólares, en su mayor parte pertenecientes al ya legendario Wells Fargo American Exchange Bank. El tesoro había viajado desde los bancos de San Francisco hasta Aspinwall en otro navío, el "John L. Stephens", y el "Central America" sería el encargado de depositarlo en Nueva York.

De acuerdo con los relatos publicados por los medios, había a bordo 476 pasajeros y 102 tripulantes. Además de la inmensa cantidad de oro, muchos de los pasajeros llevaban consigo el que habían encontrado. De los 476 pasajeros, muchos eran personas de fortuna, propietarios del áureo metal californiano.

El "Central America" hizo escala en La Habana para cargar más pasajeros y oro. El 7 de setiembre reanudó la travesía con 575 pasajeros y una carga aurífera calculada por entonces en 2 millones de dólares.

Subía hacia el norte bordeando la costa atlántica de los Estados Unidos a una velocidad de 10 nudos, cuando al atardecer del jueves 10 de setiembre el tiempo cambió bruscamente y comenzó a soplar un fuerte viento. Se encontraba a siete días de viaje de Panamá. Sin saberlo, se había interpuesto exactamente en el derrotero de un gran huracán, y en la mañana del 11 de setiembre se abrió para el barco la caja de Pandora. El agua entraba a raudales por todos lados, y mientras el navío luchaba desesperadamente por mantenerse a flote, por la tarde la sala de máquinas estaba irremediablemente inundada, y el navío se inclinaba pesadamente a estribor. A los tripulantes se les había hecho imposible mantener las calderas prendidas.

Por la noche, todas las máquinas estaban detenidas y el "Central America" quedó al garete. Se intentó como último recurso fijar las velas a los palos para aprovechar la fuerza del viento y recuperar el dominio de la nave, pero todo fue en vano. Se había librado una valiente batalla para salvar al barco, pero la fuerza de la tormenta era incontrolable.

Los numerosos pedidos de auxilio realizados durante la tormenta fueron finalmente captados por un bergantín de Boston, el "Marine", que divisó al navío en desgracia el sábado 12 de setiembre al mediodía. El "Central America" bajó sus botes al mar y el "Marine" logró transbordar a 148 pasajeros, entre ellos todas las mujeres y los niños.

Esa misma noche, alrededor de las 20, el "Central America" dio tres grandes guiñadas y se hundió de popa. Además de las mujeres y los niños, 53 hombres más fueron rescatados más tarde por otros barcos que pasaban.

El resto de los pasajeros y de la tripulación se hundió con el barco: un total de 425 personas de muy diferentes procedencias.

Tragedia nacional

La pérdida del "Central America" produjo furor público en su momento. Los navíos de paletas eran muy inestables, incluso algunos afirmaron que el "Central America" era particularmente vulnerable porque llevaba poco lastre. En su viaje de ida a Panamá solía llevar siempre un gran cargamento de carbón, pero en el viaje de regreso no se llenaron los pañoles. Sin embargo, la raíz del problema era que se trataba de un barco caduco. Los rasgos principales de los grandes veleros habían permanecido inalterados durante casi 400 años, y ya a mediados del siglo XIX los vapores habían revolucionado la navegación. El reemplazo de la fuerza del viento por la mucho más confiable energía del vapor instauró un cambio radical. Unas décadas más tarde, los vapores de madera con ruedas de paleta serían a su vez reemplazados por los vapores de acero, con hélices resistentes y más poderosas, y con motores mixtos, que producían el doble de energía con la misma cantidad de carbón.

Otro motivo de indignación fue que no hubiese a bordo ningún carpintero calificado que cerrara las vías de agua o reparara las bombas inundadas. Por otra parte, había salvavidas sólo para 300 personas, es decir que la verdadera capacidad del barco no era respetada.

Desde ya, el hundimiento fue noticia de primera plana durante muchos meses después de ocurrida la tragedia. Pero el shock y el horror vividos fueron finalmente reemplazados por una creciente preocupación de interés nacional en los Estados Unidos... los comienzos de la Guerra Civil (1861-1864). Parece irónico que el "Central America" se hundiese a unas 200 millas de la costa de South Carolina y que el comienzo de la Guerra Civil tuviera lugar en la misma área general, cerca del puerto de Charleston.

Para los comienzos de la guerra, la preocupación por el "Central America" desapareció. La memoria del desastre que había enlutado a los americanos, que había sido considerado una tragedia nacional y un suceso mayor en los medios masivos, se esfumó en las mismas páginas de la historia que los sucesos que lo reemplazaron.

Un salvamento polémico: "el oro es mío, mío"

En 1987, un equipo de rescate norteamericano, el Columbus-America Discovery Group (CADG), localizó los restos del "Central America" en el suelo submarino, a más de 2.000 metros de profundidad, a la altura de South Carolina, empleando un artefacto operado a control remoto para recuperar los lingotes y las monedas. Como era de prever, los exploradores pronto fueron abrumados por los reclamos de quienes habían trabajado en el tema. Entre los aspirantes al oro estaban Harry John, un excéntrico potentado para quien los tesoros eran su hobby favorito; la Universidad de Columbia, con sede en Nueva York; los monjes capuchinos, el experto explorador Jack Grimm y el consorcio de las compañías de seguros.

John y Grimm afirmaron que el CADG había descubierto el tesoro con la ayuda de la información obtenida por la Universidad de Columbia, que había estudiado el suelo marino por encargo del grupo. Por su parte, los monjes capuchinos sostenían que los derechos de rescate les habían sido cedidos por John.

El CADG insistió en que los restos de oro habían sido abandonados y que tenía derechos exclusivos sobre ellos por ser "rescatador en posesión".

La Corte Suprema puso punto final a uno de los litigios al denegar, sin excepción, la apelación de Jack Grimm de Abilene, que buscaba quedarse con el 20 por ciento del oro. Grimm es un socio de Santa Fe Comunicaciones, un grupo rival de rescatadores de tesoros, que buscó al "Central America" entre 1983 y 1984. Su reclamo era que la tripulación de Columbus utilizó las informaciones de Santa Fe —obtenidas por sondas de ultrasonido— para encontrar el barco.

Santa Fe había contratado a expertos de la Universidad de Columbia para llevar a cabo su búsqueda sonar, pero las pistas desarrolladas no dieron con los restos del naufragio.

Thomas G. Tompson, líder del grupo Columbus, compró los mapas sonares de Columbia y las fotos realizadas para utilizarlos en su expedición de 1987, pero afirmó que encontró los restos por su propia cuenta.

La Universidad de Columbia también reclamó su parte pero llegó a un arreglo con Columbus-America sin intervención de la justicia.

La decisión de la Corte Suprema ratificó la de la Corte de Apelaciones N° 4 de Richmond, que en el mes de junio había dictaminado que un 90 por ciento del salvataje correspondía al Columbus-America Discovery Group.

El CADG también venció en la apelación por una parte del tesoro del pastor de Abilene Joseph W. Darlak, quien declaró haber proveído de servicios vitales durante la búsqueda sonar del Santa Fe. La petición de Darlak fue denegada por las cortes de primera instancia y aún le resta apelar a la Corte Suprema de Justicia.

Finalmente, el CADG obtuvo una tercera victoria al denegar la Corte Suprema una apelación del consorcio de compañías de seguros, que había pretendido incrementar su porcentaje del 10 por ciento.

Sólo le resta determinar todavía cómo se efectuará la distribución del 10 por ciento del rescate entre las distintas compañías de seguro del consorcio. El nuevo paso consistirá en que cada compañía de seguros demuestre que tiene justos títulos para recibir la parte del 10 por ciento que le corresponde, para lo cual debe demostrar que pagó las indemnizaciones del seguro por naufragio, o bien que descienden de las firmas que lo hicieron en su momento. Algo, como es de prever, poco probable.

Los aseguradores, liderados por Atlantic Mutual Insurance Co., archivaron inmediatamente su apelación, arguyendo que las cortes inferiores no habían seguido apropiadamente las leyes de rescate en la adjudicación del oro. Además, se quejaron a la corte respecto de que ser forzado a probar reclamos individuales implicaría otro juicio, en un caso que ya ha llegado a la Corte Suprema dos veces.

Los abogados del CADG, ni lerdos ni perezosos, arguyeron que la corte del distrito federal de Norfolk, Va., ya había reunido evidencia sobre los reclamos de dinero y que el juez probablemente emitiría un fallo sin necesidad de otro juicio.

Las aseguradoras objetaban, a su vez, la posesión y el control exclusivos del CADG sobre el tesoro y los derechos de comercialización y venta.

Pero la corte había dicho que ésa era la única forma lógica de proceder. "La dificultad de este caso es que hay demasiado oro involucrado para permitir que más de una parte lo comercialice", falló la corte, dejando sin argumento a los apelantes.

"ROYAL CHARTER"
Hundido en la costa

E l "Royal Charter" era un vapor clipper de 2.719 toneladas y cerca de 100 metros de eslora con tres palos, una chimenea y hélice de hierro. Fue lanzado en 1855 y en su primera travesía hizo la carrera de Plymouth, Inglaterra, a Melbourne, Australia, en sólo dos meses. El viaje de regreso por el cabo de Hornos solía durar un poco más.

Ese año, 1855, fue muy importante para Melbourne, pues además de botarse el "Royal Charter" se inauguró la primera universidad del joven país, que iba a conferir títulos en artes, derecho, medicina, ciencias, ingeniería civil y música.

Los británicos se habían mostrado muy precoces en construir una catedral de la cultura en aquella pequeña ciudad australiana, cuya primera colonización se había producido apenas veinte años antes. Aquella colonia fue fundada por John Fauker, que había remontado el curso del Yarra a bordo de su buque "Enterprise". Fauker se vio detenido en su viaje por una pequeña catarata que parece haberle llamado mucho la atención, al punto de fundar en ese sitio la ciudad de Dootigala, posteriormente denominada Melbourne.

Al comienzo, la población de la ciudad se reducía a unas pocas casas y chozas, que con el tiempo crecería gracias a la llegada de gentes de Sydney y Tasmania, quienes, buscando suelos fértiles, se sumaban al poblado con sus rebaños de ganado. El gobierno de Sydney envió como magistrado de la nueva ciudad al capitán Lonsdale, y en 1838 a Latrobe, con el título de superintendente.

El dorado señuelo

En 1841, cuando Melbourne contaba ya con 11.000 habitantes, un suceso extraordinario transformó para siempre a la humilde ciudad. Se habían descubierto minas de oro en Ballarat. Tal como ocurriría pocos años después en California, la población se vio arrasada por hombres y mujeres provenientes de todo el mundo, que engordaron la demografía de la aldea hasta alcanzar los 100.000 habitantes.

Diez años después se descubrió oro en Sydney, teniendo lugar un proceso parecido.

En 1855, año en que fue botado el "Royal Charter", el distrito de Port Phillips, al que pertenecía Melbourne, comenzó a gozar de amplia autonomía por obra y gracia del oro, dejando así de depender de las autoridades de Sydney.

En este panorama de desarrollo económico y social, el transporte pasó a ocupar un lugar crucial, y muy especialmente el transporte marítimo, que vinculaba a la colonia floreciente con la metrópoli.

El clipper era un buque velero ideal para realizar ese transporte, pues ya a mediados del siglo XIX combinaba las velas con la propulsión a vapor. Eran embarcaciones estilizadas, de líneas esbeltas, especialmente construidas para obtener velocidad. Antes de su uso marítimo, la palabra "clipper" designaba entre los ingleses al caballo ganador de premio en las carreras. Las diferencias entre los clippers y los demás buques a vela no son pocas. Las más importantes son la mayor eslora de aquéllos en relación con su manga, y la mayor finura que presentan los extremos de flotación. Los clippers tienen el mayor desplazamiento a popa, y el centro de volumen del casco cae por detrás de la línea media.

Pero los clippers tienen una desventaja: cuanta mayor velocidad pueden desarrollar, menor es su fortaleza y estabilidad, y por lo tanto menor será la seguridad que ofrezcan en su navegación. Eso es algo que, seguramente, los pasajeros del "Royal Charter" no tomaron en cuenta al comprar sus boletos. A pesar de esto, los clippers desempeñaron una labor gloriosa en la época de la fiebre del oro, especialmente en las costas californianas.

La famosa fiebre comenzó cuando en enero de 1848 se descubrió un yacimiento en Sutter's Mill, California. En un año, la población de esa ciudad pasó de 26.000 a 115.000. Un buscador afortunado podía hacerse de 16.000 dólares de aquella época en una semana, si sobrevivía al viaje de ida y vuelta por mares, selvas y desiertos. Tan grande fue la tentación del oro que tras ella corrieron, no sólo los comerciantes, maestros, carpinteros, artesanos, carreros, sino que se solían sumar las tripulaciones enteras de los barcos transportadores, que no dudaban en hacerle un corte de manga al antes temido capitán. Vivir en California era difícil, porque nadie hacía otra cosa que buscar oro. La comida escaseaba, las carretas se rompían sin que los carpinteros las arreglaran, los zapatos destrozados dejaban a sus dueños descalzos.

La situación en Melbourne era muy parecida, y pronto se produjeron hallazgos similares en Nueva Zelanda, Sudáfrica, México y Alaska, este último caso muy bien documentado por Charles Chaplin en su película "La quimera del oro".

El auge de las minas de oro aumentó la demanda de naves de forma espectacular, de allí que muchos barcos encargados del transporte de inmigrantes partieran atiborrados de gente y sin un mantenimiento adecuado, lo que ocasionó no pocas tragedias.

De San Francisco partían clippers hacia Cantón, un puerto chino donde se canjeaba oro por té, mientras que los vapores de hierro iban de Australia a Gran Bretaña y viceversa, transportando mercaderías e inmigrantes.

Un clipper especial

Pero el "Royal Charter" no era un clipper más, era una embarcación de lujo. Su propaganda decía que combinaba las ventajas del vapor con las del velero. Tenía una longitud siete veces mayor que su ancho, pero estaba construido de hierro y no de madera como la mayoría de los barcos de la época. Era un híbrido entre el velero de madera antiguo y el vapor de acero del futuro, pues sólo usaba el vapor cuando no había suficiente viento para la marcha. También era confortable y sus camarotes, de guiarnos por el folleto, suntuosos.

El precio para viajar en la primera clase era de 75 guineas, mientras que un pasajero de tercera debía abonar 16.

Los clippers sin vapor, además de hacer travesías a California, cubrían el trayecto regular de los ingleses entre Singapur y Macao. También fueron muy célebres los de Baltimore. En la búsqueda de mejores embarcaciones, fue dejado de lado a fines de siglo, luego de comprobarse la mayor eficacia de los transatlánticos para las grandes travesías.

Cuando el "Royal Charter" salió de Melbourne el 26 de agosto de 1859, llevaba a bordo una lista muy variada de pasajeros. En la tercera clase se amontonaba un buen número de buscadores de oro que, de regreso a Inglaterra, acarreaban sus fortunas recién ganadas. En la primera viajaba gente de negocios, como la señora Foster, una hotelera de quien se decía que llevaba con ella dinero y joyas por un valor de 5.000 libras, una generosa cantidad en ese momento. Viajaba también un joyero al que se tenía por demente, Samuel Henry, quien había pasado la travesía encerrado y custodiado en su camarote.

En total, viajaban 390 pasajeros, entre ellos mujeres y niños, además de una tripulación de 112 hombres.

El viaje fue más rápido que lo acostumbrado. Desde el "Royal Charter" ya se avistaba el Old Head of Kinsale, en el sur de Irlanda, al amanecer del 24 de octubre. Catorce pasajeros descendieron allí, inconscientes de su suerte.

A las 14, el clipper de lujo se alejaba hacia Holyhead, al norte de Gales, cuando el cielo se llenó de repentinos nubarrones y comenzó a soplar el viento del sudeste. Pero la travesía continuó sin dificultades, y a las nueve de la noche el navío estaba tan cerca de la bahía de Liverpool que los familiares ya habían comenzado a recibir telegramas sobre el feliz arribo de sus parientes.

Genocidio marino

Pero a las 22 en punto se desató un huracán que no figuraba en los cálculos de nadie. La dirección del viento cambió súbitamente de sudeste a nordeste. Este repentino viraje arrastró al "Royal Charter" hacia una peligrosa costa rocosa, ubicada a sólo ocho kilómetros de la bahía. De no haberse producido este repentino cambio en los vientos, el clipper hubiera resistido el paso del huracán.

Al mando del "Royal Charter" estaba el comandante Taylor, que no supo guardar la calma y se desesperó intentando que su lujoso clipper retomara el rumbo en el mar de Irlanda. Recurrió a los motores de vapor, pero no resultaron lo suficientemente poderosos para contraatacar al viento. Dejar el barco al albedrío de las velas era, por otra parte, suicida.

Taylor ordenó entonces a la tripulación hacer disparos de alerta y lanzar bengalas. A bordo del atribulado navío se encendieron, además, luces azules para indicar que se encontraba en peligro mortal.

El gesto era inútil, pues ningún otro barco estaba en condiciones de dar auxilio en ese momento, pues todos se debatían en medio de la fiereza del huracán. Esa noche naufragaron 133 embarcaciones en las costas de Gales e Inglaterra. Las consecuencias de ese huracán fueron de las más terribles que recuerde la marina inglesa.

Media hora después del comienzo del vendaval, el "Royal Charter" estaba a sólo cinco kilómetros de la costa. El capitán ordenó bajar las anclas, pero éstas no bastaron para impedir que la nave fuera a la deriva hacia la costa rocosa. Fueron terribles horas de zozobra. A la 1.30 de la madrugada, mientras otras naves corrían una suerte parecida, el cable del ancla de babor se partió. A las 2.30 sucedió lo mismo con el cable de estribor. El navío iba derecho a estrellarse contra la costa, mientras los pasajeros vivían el horror de lo indomable.

Ante la inminencia de la catástrofe, Taylor hizo cortar los palos para reducir la resistencia al viento, y los pasajeros debieron reunirse en la cubierta para no morir aplastados.

A las 3.30 el buque tocó tierra. Por fortuna, la costa no era rocosa como se había pensado, sino una playa arenosa. El terrible episodio parecía una desgracia con suerte, pero no bien los pasajeros se disponían a descender del barco la marea lo empujó nuevamente hacia el mar. La resaca fue llevando al "Royal Charter" hacia unas traicioneras salientes rocosas.

A medida que corrían las horas la fuerza del viento huracanado aumentaba. El casco de acero golpeaba rítmicamente contra las rocas, produciendo estruendos paralizantes (y muy diferentes de los del famoso grupo rockero que Liverpool albergaría un siglo después).

En medio del caos, un marinero raso, Joseph Rodger, tuvo la brillante idea de tender un cable hacia la costa. De esa forma, y con la colaboración de algunas gentes del lugar que habían salido a ver lo que ocurría, logró armar un aparejo para bajar a los pasajeros del "Royal Charter".

La primera muchacha a la que se ofreció bajar a la costa por medio del aparejo sintió que la silleta era poco segura, entonces un marinero se ofreció a bajar en su lugar.

Un barco de papel

De haber sido un poco más resistente la embarcación, la operación hubiera sido un éxito. Sin embargo, antes de poder hacer bajar a las mujeres, el "Royal Charter", al límite de su fortaleza, se partió en dos. Eran alrededor de las siete de la mañana. Algunos de los que sobrevivieron trataron de aferrarse a los restos del barco. Su suerte fue diversa. Mientras unos se estrellaron contra las rocas, otros se salvaron. Los que estaban en la costa formaron una cadena humana, tomándose de las manos, para sacar del mar a los que estuvieran más cerca de la playa. En estas tareas de salvamento participaron también 28 pobladores del lugar armados con todo su coraje, pues cualquiera de ellos podía ser tragado por el mar junto con los demás náufragos.

A pesar de la denodada labor y de la solidaridad, la mayoría de los pasajeros perecieron ahogados o estrellados contra las rocas.

Los relojes que se hallaron en los cadáveres se detuvieron entre las 7.20 y las 8 de la mañana.

Sobrevivieron únicamente 44 pasajeros, todos hombres, y 18 de ellos eran miembros de la tripulación. El capitán había desaparecido con el barco, y se estima que las mujeres no tuvieron posibilidad de salvarse a causa de sus pesadas y opresivas vestimentas, que les impedían no sólo nadar, sino moverse. Casi todos los sobrevivientes se salvaron gracias a la cuerda ideada por Rodger, tendida entre el barco y la costa.

Fue famoso el caso de un joven minero de Wigan, llamado James Dean, que se salvó a pesar de no saber nadar. Se había aferrado con tanta desesperación a una tabla que la suerte lo echó hacia la costa, lejos de las rocas asesinas. El muchacho no había dado importancia al huracán y se había dedicado a dormir hasta que en su camarote se abrió una inesperada vista al mar. Fue uno de los pocos que no vivió el pánico a bordo, una suerte bien distinta de la de su homónimo, el actor que murió despedazado en un accidente cien años después.

Pero el caso es que la estrella del naufragio no fue, como era de esperarse, Joseph Rodger, sino el James Dean británico.

El oro o el cadáver

Luego del naufragio, hubo que resolver el problema de los bienes transportados en el barco, sobre todo teniendo en cuenta que muchos de los pasajeros habían sido buscadores de oro.

Los cadáveres de los pasajeros fueron velados en un pequeño templo evangelista de Llanallgo, Gales, y en los días siguientes al desastre fueron identificados por sus familiares. Éstos, por su parte, descargaron su indignación sobre las autoridades por preocuparse más en rescatar el oro del mar que en recuperar los cuerpos que todavía faltaban.

En la tarde del 25 de octubre, un agente de aduana que llevaba el inefable apellido Smith se apersonó junto a los restos del naufragio con el propósito de protegerlos. A él se sumaron guardacostas de Liverpool. Aunque habían ocurrido otros 132 desastres el día del huracán, el "Royal Charter" monopolizaba el prestigio y el interés de los ingleses.

Aún se cuenta en la zona de Welsh, donde ocurrió el naufragio, que muchos pobladores se hicieron ricos aquel día, hurgando entre sus restos. Lo cierto es que cuatro hombres fueron acusados de saqueo, pero si bien se realizaron rastreos casa por casa, poco y nada fue lo que se descubrió. El oro brillaba por su ausencia.

Las tareas de rescate del oro comenzaron a cuatro días del naufragio, pero resultaron infructuosas pues la caja fuerte se había hecho pedazos y el precioso metal, se suponía, se hallaba disperso en el amplio suelo marino. La búsqueda resultó más compleja y tomó más tiempo que el supuesto por los pobladores. Para comienzos de 1860 ya se había recuperado una buena cantidad, estimada en la friolera de 290.000 libras esterlinas.

Se realizó también, con prolijidad británica, una investigación de las muertes, seguida de otra relacionada con las causas del naufragio. En ambas el capitán Taylor fue póstumamente declarado inocente de la pérdida del "Royal Charter", pese a algunas acusaciones de que había bebido en exceso o de que el clipper no estaba en condiciones de navegar en el océano.

Las operaciones de búsqueda de oro en la escarpada costa de Welsh continuaron infructuosamente hasta 1873. Sin embargo, hoy sigue habiendo buzos ilusionados con encontrar piezas de valor, empeñados en incursionar afanosamente las aguas que una noche supieron ser infernales.

"GENERAL GRANT"
El misterio de la caverna

e l naufragio del "Royal Charter" no fue el único accidente ocurrido entre los muchos buques que hacían la carrera entre Melbourne e Inglaterra transportando nuevos ricos que volvían de las recién descubiertas minas de oro.

Pocos años después, otro clipper, más modesto, el "General Grant", iba a teñir nuevamente de luto el marítimo trajinar de las grandes pepitas del precioso metal.

Es bueno hacer un alto en el itinerario de este nuevo buque para recordar cómo llegó la fiebre del oro a Australia. Melbourne se transformó en el paraíso de los que buscaban hacer fortuna a partir del descubrimiento, en 1851, de las minas de Ballarat. Luego vinieron las de Mount Alexander, Bendigo y McIvor. El estado de Victoria, donde se hallaba el otrora pequeño asentamiento, se llenó de buscadores de oro que llegaron de todas partes de Australia y por supuesto también de las islas británicas.

El mayor atractivo del oro australiano consistía en que podían obtenerse piezas enormes, a diferencia del de California, que aparecía a veces en pequeñas pepitas y la mayor parte en forma de polvo. Se llegaron a encontrar en los yacimientos de Victoria pepitas de hasta 62 gramos. El filón más grande llegó a proveer una pieza de 90 kilos. Otra generosa particularidad del continente australiano era que los filones se encontraban a pocos centímetros de la superficie de la tierra, por lo que no era necesario excavar grandes túneles ni se corría peligro de accidentes.

En todo caso, el problema era el acarreo de la fortuna hasta las islas británicas, si es que el buscador de oro tenía pensado volver a su tierra madre. Los viajes transoceánicos eran peligrosos y la sombra del naufragio del "Royal Charter" pesaba sobre el recuerdo de todos los vecinos de Melbourne.

Sin embargo, la nostalgia y la necesidad de demostrarles a los que, desde las islas, apostaban al fracaso de los aventureros que el éxito estaba a favor de los que arriesgaban el pellejo y los pocos ahorros que les quedaban, llevaban a muchos de los nuevos ricos de Melbourne a volver a Inglaterra, Gales, Escocia o Irlanda con las alforjas cargadas con la fortuna recién cosechada.

Sin embargo, eran los menos. La mayoría de los inmigrantes pensaba seguir disfrutando de las comodidades de una cada vez más floreciente ciudad de Melbourne, que ya tenía muy poco de la aldea fundada en la década de 1830 por John Pascoe Fawker.

En la ciudad ubicada en la bella bahía de Port Phillips sólo vivía gente de bien. Allí no habían llegado las enormes mareas de convictos procedentes de Inglaterra, como había ocurrido en Sydney. En Melbourne sólo podían establecerse pequeños comerciantes, criadores de ovejas y entusiastas buscadores de oro.

El esplendor australiano

En aquellos años el desarrollo del continente australiano fue vertiginoso. El crecimiento se basó completamente, como en América, en la inmigración. Desde 1788 hasta 1830, la mayor parte de la población australiana procedente de Europa estaba integrada por convictos transportados desde Inglaterra. En ese período, comparativamente, llegaron 63.000 presos frente a unos 14.000 inmigrantes libres. En los 20 años siguientes, la relación se invirtió, y llegaron 173.000 inmigrantes libres frente a 83.000 convictos. El primer plan de asistencia para que los súbditos del Imperio Británico se establecieran en Australia data de 1831.

El descubrimiento del oro modificó demográficamente el generoso continente. En una década la población de Australia trepó de 400.000 habitantes a más de un millón. La mayoría de los recién llegados eran inmigrantes atraídos por el oro.

Los nuevos ricos, en la década de 1860, contaban con suficientes ventajas para asentarse en Melbourne. Sus hijos podían estudiar en una universidad recientemente establecida y con títulos reconocidos por la Corona. Había un Parlamento con un coqueto edificio que funcionaba desde 1856. Podían rezar en la bella catedral de Saint Patrick desde 1858, y muy pronto podrían visitar los primorosos jardines botánicos que había comenzado a construir y plantar en 1857 sir Ferdinand von Mueller. También podían gozar del atractivo de los encuentros deportivos de cricket y de fútbol según el nuevo reglamento australiano que enfrentaba el colegio de los ingleses contra el de los escoceses. Una vieja rivalidad que paradójicamente alentaba una buena convivencia y el arraigo en el nuevo continente. Hasta había encuentros internacionales: el primer partido de cricket entre Australia e Inglaterra se disputó en Melbourne en 1861.

¿Qué motivo podía haber para regresar a las superpobladas islas británicas? Quedarse en Australia traía suerte, solía decirse. Pero a muchos los ganaba la nostalgia...

Para estos nostálgicos de las islas europeas, las opciones de viaje no eran muchas. Los que podían pagaban un clipper a vapor, con lo que ahorraban tiempo en la travesía, y la mayoría, de bolsillos más modestos, elegía los tradicionales barquitos de madera, sin motores y provistos sólo de velas. Entre estos últimos revistaba el "General Grant".

Como muchos de los buques que hacían la carrera entre Australia y las islas británicas, el "General Grant" era un clipper. Un barco rápido y cumplidor, pero nada del otro mundo.

El casco del "General Grant" era de madera de roble blanco y de pino, y no tenía motor de vapor que supliera la eficacia de las velas ante la ausencia de viento. Otros buques más prestigiosos entre los que hacían la larga carrera, como el "Royal Charter", disponían de motores de vapor para acelerar el viaje.

Los clippers eran considerados veleros de carga y se destacaban de los demás barcos de su época por la gran velocidad que llegaban a desarrollar cuando había buen viento.

El "General Grant" fue botado en 1863 y su constructor fue Jacob Morse, célebre armador del río Kennebec, en Maine, al norte de los Estados Unidos. Su costo fue de 81.166 dólares. Tenía 55 metros de eslora y un peso de 1.103 toneladas.

Entre sus comodidades contaba con camarotes para 15 pasajeros de primera clase, a popa, y con literas principales para 41 pasajeros de tercera clase y 17 miembros de la tripulación.

A pesar de la diferencia de categoría de dos buques como el "General Grant" y el "Royal Charter", el destino final de ambos fue el mismo: el naufragio.

Muchos inmigrantes viajaron en clippers como el "General Grant", los más afortunados con las alforjas llenas de valioso metal.

Así, en una de sus tantas travesías, el "General Grant" partió del puerto de Melbourne, que para entonces era una aldea con el grado de desarrollo suficiente como para gozar de autonomía administrativa bajo el nombre de distrito de Port Phillips y para contar con claustros universitarios. Pero lo más importante de la pequeña ciudad australiana era su condición privilegiada de paraíso de los buscadores de oro.

El viaje final

Corría mayo de 1866 y las velas del "General Grant", henchidas por el viento, se despedían, esta vez para siempre, de Port Phillips. El destino final del viaje en teoría debía ser Inglaterra, donde muchos de los pasajeros pensaban descansar en una considerable fortuna luego de haber dejado el alma en las minas del continente meridional.

El cargamento del clipper incluía 2.057 fardos de algodón; cueros; pieles; cortezas de exquisita delicadeza y maderas; 9 toneladas de cinc, otro metal muy abundante en Australia, y 73 kilos de oro en dos arcones de hierro.

En esta travesía, el capitán del "General Grant" decidió tomar la ruta del cabo de Hornos para aprovechar el buen viento del oeste. Nunca alcanzarían ese punto.

El inconveniente de ese derrotero fue el desconocimiento de los arrecifes e islas que no figuraban en las cartas de navegación, y sobre todo la ignorancia acerca de las corrientes marinas en la zona.

La travesía parecía marchar, en principio, a las mil maravillas, y los pasajeros gozaban con la manera en que el "General Grant" cruzaba como flecha los cálidos mares del sur. Todo daba la impresión de estar perfecto hasta el 11 de mayo, cuando el cielo se cubrió de extrañas nubes oscuras, mientras en el aire se respiraba una calma sospechosa que no perturbaba ni la menor ráfaga de viento. Luego la niebla se tornó infernal. Muchos pasajeros recordaron la de Londres, pero pensaron que ésta era peor. Recién dos días después tuvieron visibilidad suficiente para darse cuenta de que estaban frente a un arrecife. La formación coralina era una enorme masa negra, aparentemente de unos 120 metros de largo o mayor aún. El viento, que hasta ese momento era fuerte, amainó en forma repentina y el barco quedó derivando peligrosamente hacia el arrecife, sin que hubiese forma de contrarrestar el movimiento.

Perdidos en el océano

La formación estaba ubicada cerca de la isla Disappointment (que en inglés significa, premonitoriamente, decepción), pero el capitán había perdido noción de dónde se encontraba con exactitud.

A la una de la mañana del 14 de mayo, el "General Grant", impelido por una fuerza misteriosa que lo hacía acercarse cada vez más a la formación de coral, entró en una caverna dentro del arrecife, guiado por esa mano extraña. El palo mayor se quebró como consecuencia de haber tocado el techo de la cueva y la nave se inclinó dentro de la caverna.

Antes del amanecer, la veloz embarcación de madera se hundió y solamente sobrevivieron 15 personas. El capitán del "General Grant" pereció dentro del buque junto con la mayoría de los pasajeros.

Los náufragos sobrevivientes lograron salir trabajosamente de entre las rocas, y milagrosamente había también mujeres entre ellos, que a pesar de las incómodas vestimentas de la época hicieron un esfuerzo sobrehumano para salvar la vida.

Un nuevo milagro fue que algunos botes de salvamento se hubieran desprendido de la embarcación. Estas pequeñas chalupas les permitieron salir de la oscura caverna.

Los sobrevivientes del "General Grant" remaron sin parar durante dos días y dos noches hasta que llegaron a la isla de Auckland. Agotados por el esfuerzo, establecieron allí un campamento.

Las Auckland constituyen un archipiélago, formado por las islas de Auckland, Enderby y Adams, además de otros islotes menores. Están ubicadas al sudoeste de Nueva Zelanda y fueron descubiertas por el ballenero Britow. Son montañosas y están pobladas de bosques de pequeños mirtos y de focas.

Curiosamente, el del "General Grant" no fue el único naufragio ocurrido en la zona de las islas Auckland. La región es famosa por haber acontecido allí varios desastres marítimos, entre ellos el hundimiento del "Schooner Grafton", que naufragó en 1863. El capitán de aquella nave y su tripulación vivieron 20 meses en las islas desiertas, habitadas únicamente por focas.

Los sobrevivientes del "General Grant" pasaron por una experiencia semejante.

El "capitán" irlandés

A falta de capitán, el liderazgo lo tomó un buscador de oro irlandés llamado James Teer. El origen de su liderazgo residía en el hecho de que llevaba consigo fósforos que no se habían humedecido. Ésa fue la herramienta que permitió al grupo salvarse. Ello, unido a su espíritu de buen organizador, hizo que Teer brillara por sobre los demás.

Aquella fogata, ayudada por el aceite de foca, logró mantenerse encendida durante un año y medio.

El irlandés James Teer se convirtió en un patriarca que logró mantener al grupo unido por medio de una férrea disciplina. Predicaba con el ejemplo, trabajando más que cualquier otro, cazando, buscando raíces y peces, cuidando a la gente y oteando el horizonte en espera de algún barco que pudiera sacarlos de aquella isla perdida en el océano y devolverlos a la civilización.

La única esperanza del pequeño grupo de náufragos residía exclusivamente allí, en la función del vigía, que avisara el momento en que apareciera una vela, por pequeña que fuere, que indicara la presencia de un buque británico o extranjero.

La zona también era transitada por no muy grandes embarcaciones de origen chino, pero ésas eran precisamente las que los náufragos de Melbourne preferían no encontrar, dado que las relaciones con los asiáticos no eran del todo buenas, a raíz de que las autoridades británicas habían prohibido el asentamiento de población de aquel origen en Australia.

En tanto, la vida en la isla debía continuar con toda la normalidad que fuera posible. De eso dependía la supervivencia del grupo. Así, lentamente, fueron construyendo una pequeña población, a la manera en que fue levantada la primitiva Melbourne. Sin embargo, los del "General Grant" ni remotamente tenían la idea de construir un asentamiento con visos de permanencia.

Construyeron chozas, domesticaron cerdos salvajes y comenzaron una pequeña cría de estos animales, y sobre todo iniciaron una industria artesanal a partir de la caza de la foca, de la que extraían pieles con las que cosían vestimentas rudimentarias, aprovechaban la carne y sacaban el aceite que era un combustible esencial.

Con el tiempo, y a pesar del liderazgo monolítico de Teer, las diferencias fueron haciéndose más visibles. Es lógico, pensando que en el grupo había ingleses, galeses, escoceses e irlandeses; gente de distintas denominaciones religiosas y aun quienes no respetaban credo alguno; matrimonios que se habían salvado juntos, y hombres y mujeres solas, que podían desear algún tipo de contacto íntimo y otros que lo rechazaban de plano. Teer trataba de que se mantuviera el respeto por las mujeres solas.

Así fue como el grupo que disentía con la disciplina de hierro del irlandés, formado sobre todo por ingleses varones, solos, se distanció de la población original y se fue a vivir a otro rincón de la isla.

Con el tiempo, y al ver que la vida se les hacía muy difícil, sobre todo porque habían tenido serias dificultades para encender fuego, decidieron retornar. De manera que el buen sentido logró permanecer y al cabo de pocos días estuvieron nuevamente todos juntos en una misma aldea.

Pocos nombres de estos náufragos llegaron hasta nuestros días. Entre ellos fueron muy mentados el matrimonio formado por Joseph y Ann Jewell (tal vez por resultar curioso su apellido entre tantos buscadores de objetos preciosos), el buscador de oro David Asworth y el cazador de focas Simon Brown.

Al cabo de unos días de solucionado el inconveniente que había dividido el campamento, surgió en otros cuatro náufragos el deseo de abrirse camino solos, pero con la finalidad de ayudar a todo el grupo. Algo natural en medio de la desesperación de hallarse abandonados a su suerte en una isla desierta.

Así, cuatro sobrevivientes del "General Grant", contra la voluntad y el sentido común del líder James Teer, decidieron correr el gran riesgo de abandonar la isla y hacerse a la mar en uno de los pequeños botes que se habían salvado del naufragio, al que adosaron una vela confeccionada con fina piel de foca. Ninguno de los cuatro hombres era navegante, y conocían tanto del mar como un aldeano sin educación puede conocer de álgebra. Ni siquiera disponían de una carta de navegación, un sextante o una brújula. Nada más que esos pequeños botes habían quedado del clipper hundido.

Sin embargo, estos cuatro hombres tuvieron el valor de oponerse a Teer, preparar el bote y cargarlo con alimentos y agua para tres días.

Por desgracia, las corrientes del océano Pacífico, harto traicioneras como lo sabe cualquier marino avezado, los arrastraron al medio del mar inmenso, donde es de presumir que sucumbieron. Nunca se los volvió a ver ni fueron encontrados sus cuerpos.

El ánimo de la pequeña población de Auckland, reducida a once personas, quedó por el piso al ver que pasaban los días y los cuatro valientes no daban señales de vida. La situación llegó a su peor momento cuando pocos días después uno de los devenidos colonos a la fuerza murió envenenado luego de haber consumido unos hongos extraños que hasta entonces no habían producido inconvenientes.

Recién el 21 de noviembre de 1867 el empeño del pequeño grupo de británicos fue recompensado cuando tuvieron la suerte de avistar una vela. James Teer, que como siempre se mantenía atento a lo que ocurría en el horizonte, fue quien avisó a la reducida población de Auckland, compuesta entonces por diez personas al borde de la desesperación.

El patriarca irlandés dio la orden de que un pequeño grupo saliera en otro de los botes ya provisto de velas de piel de foca, para dar alcance a la nave que habían avistado. Se trataba del "Amhers", un barco que llevaba una tripulación compuesta por cazadores de focas que hacía rato no se dirigía a las islas Auckland.

El capitán de la nave se ofreció a llevar a los sobrevivientes del "General Grant" directamente a Nueva Zelanda, su puerto de base, pero James Teer decidió que todos debían quedarse, como muestra de gratitud, a ayudar a los gentiles marineros a atrapar focas, lo que ya se había convertido en una magistral especialidad de los náufragos.

Los cazadores de focas

Vivir de las focas, sin embargo, para ellos, comerciantes, criadores de mansas ovejas, buscadores de oro y amas de casa, no fue tarea fácil. Si bien la población de estos simpáticos animales, en la isla de Auckland, era alta, y se calculaba entonces por centenares de miles, había que conocer el oficio.

Por fortuna, entre los sobrevivientes se contaba Simon Brown, que en su juventud había sido cazador de focas en Canadá.

Brown les enseñó a elegir los mejores ejemplares. La mejor faena consistía en reunir a los machos de aproximadamente tres años, que no eran precisamente abundantes, ya que en los harenes predominan marcadamente las hembras. La diferencia estaba dada en el trabajo que implicaba la caza y el desollamiento del animal, por lo que había que aplicar inteligencia, y elegir a los machos que pesaban unos 250 kilos, en lugar de las hembras, que pesaban apenas la quinta parte y tenían una superficie de piel muy inferior en metros. Las pieles de los machos permitían coser vestimentas y forrar chozas, de manera de hacerlas impermeables a las lluvias, que en invierno, en el océano Pacífico, son sobreabundantes.

Para atraer a las focas macho, los sobrevivientes del "General Grant", tal como les había enseñado Simon Brown, hacían ruidos con palos. Eso hacía que los animales, asustados, se alejaran de la costa, y corrieran a refugiarse todos juntos tierra adentro.

Una vez formado el rebaño, los cazadores elegían los animales que necesitaban, machos y jóvenes, pero nunca cachorros.

La primera vez que los azorados habitantes provisorios de Auckland lograron reunir un grupo de focas, Brown les enseñó a faenarlas. El paso principal era aprender a darles un golpe seco en el cráneo, que en las focas es bastante débil, con un palo, para causar al animal el menor sufrimiento posible.

Durante los primeros tiempos las mujeres se mostraban molestas y apenadas por los quejidos que proferían las focas, pero pronto las cacerías pasaron a formar parte de la cotidianidad. Para ellas, en ese punto, faenar una foca no guardaba mayor diferencia con aquellos días dorados en las granjas de Melbourne, en que debían desplumar un pavo para preparar la cena familiar.

Al terminar la primera matanza, Brown les enseñó a despellejarlas. Llamó a otro hombre y le pidió que lo ayudara a tirar de la piel del animal. El pellejo salió entero. Así siguieron con las demás, y otros habitantes de Auckland fueron aprendiendo la técnica.

El pequeño campo del sur de la isla de los náufragos del "General Grant" quedó cubierto de cadáveres de focas ensangrentados. Acto seguido surgió la idea de aprovechar lo que quedaba de los animales, sobre todo porque se habían cansado de comer solamente pescado y raíces. La carne de foca asada, entonces, se convirtió en una especialidad de las damas de la isla Auckland. James Teer tuvo la idea de usar asimismo el aceite de foca para avivar la fogata inicial y para fabricar lámparas de aceite.

Paso seguido, era necesario aprender a curtir la piel de los nobles animales. Así Brown, con la anuencia del jefe irlandés, pidió a las mujeres que lavaran las pieles en el mar, y luego enseñó a los más jóvenes y fuertes de los náufragos a quitarles la grasa y a curar las pieles con aceite del mismo animal.

Con el tiempo fue común ver a los hombres de la isla de Auckland volver de las regulares cacerías con las ropas, confeccionadas por las mujeres con pieles de foca, absolutamente ensangrentadas. Esa sangre se lavaba en el mar, la ropa se ponía a secar y luego se la curaba con aceite de foca.

Algunos cazadores se acostumbraron también a beber la sangre caliente de las focas, lo que se convirtió en un ritual. Es posible que semejante costumbre, considerada impropia por cualquier británico de aquella época, se debiera a la falta de un menú variado y sobre todo de bebidas espirituosas.

Así transcurrieron los días hasta que el "Amhers" se llevó a la reducida decena de sobrevivientes del "General Grant" a Nueva Zelanda. Algunos se quedaron a vivir allí y otros regresaron a Melbourne. Solamente James Teer se animó a abordar otro barco hacia Europa. Se consideraba un hombre mayor y no quería morir sin volver a ver su Irlanda natal.

El tesoro de Melbourne

Hasta 1876, varios sobrevivientes del naufragio hicieron intentos separados de rescatar el oro del clipper hundido. Necesitaron considerable valor para volver al lugar de la tragedia. Allí los esperaban los cadáveres de muchos compañeros que no tuvieron la suerte de vivir la experiencia de la isla de Auckland.

Ninguno de estos intentos tuvo éxito, e incluso en uno de ellos, en 1870, perdió la vida uno de los que se habían salvado del naufragio, David Ashworth.

En 1912 se dijo que el oro y los demás metales que había en el "General Grant" podían alcanzar un valor de medio millón de libras esterlinas. Mientras se hacían estas especulaciones, se hundía el "Titanic", con un tesoro tal vez mayor.

Sin embargo, la tentación por el oro de Melbourne llevó a realizar varias expediciones en busca de pepitas y tal vez lingotes. Una de ellas fue organizada por el aventurero E. C. May. Pero su empresa terminó en la bancarrota.

Era un hecho que el "General Grant", que se había convertido en una tumba para decenas de ilusionados viajeros que soñaban con ver nuevamente las islas británicas, pedía a gritos que se dejara a aquella gente descansar en paz.

No obstante, los buscadores de oro no se daban por vencidos. En plena Gran Guerra, mientras corría 1916 y los submarinos alemanes empezaban a hacer presa fácil de los barcos aliados, los rescatadores de tesoros lograron penetrar en la que creyeron que era la caverna donde se había internado por capricho de las corrientes el "General Grant". Pero sufrieron una considerable desilusión al no encontrar señales del clipper ni del oro.

Estos hechos de poca fortuna no desalentaron a los que estaban empeñados en hallar el tesoro embarcado en Melbourne. Ya en 1934 se calculaba que las riquezas que llevaba el pequeño clipper de madera hundido en 1866 ascendían a casi cinco millones de libras esterlinas. De ahí que continuaran realizándose intentos de rescatar el tesoro. El último fue hace ya varias décadas, en 1969. Desde entonces, los buscadores de oro consideraron que el costo había sido suficiente y que era mejor dejar al "General Grant" y a sus muertos descansar en paz, allí donde se encontraran.

"AMÉRICA"
Una "picada" en el Río de la Plata

El año 1871 fue sinónimo de luto para la ciudad de Buenos Aires. Muchos pensaban que la epidemia de fiebre amarilla, que había comenzado en febrero de aquel año, era un castigo para los cristianos con resabios paganos que continuaban festejando el carnaval. Los muertos se contaron por miles, tanto que en un solo día, el peor de todos, llegaron a sumarse 546 víctimas.

La que más adelante sería conocida como Reina del Plata se había transformado en un paisaje sombrío, con más cementerios de los que nunca habría profetizado el sueño más pesadillesco. La mayor parte de las familias había perdido por lo menos a uno de sus miembros en la epidemia. A fines de aquel año aún había muchos porteños que no se habían animado a volver a sus hogares, por terror de que la peste pudiera instalarse otra vez en la ciudad. A esta situación se sumaba el luto por los que no habían vuelto de la Guerra del Paraguay. Era demasiado para tan pocas familias.

La llegada de la Navidad podía auspiciar un nuevo comienzo. Pero aquella festividad cristiana también tuvo un sesgo trágico. El hundimiento del vapor de la carrera "América" transformó en corona mortuoria la estrella navideña en más de cien hogares porteños y montevideanos.

En la noche del 23 al 24 de diciembre, el "América" y el "Villa del Salto" se dirigían a Montevideo, con pasajeros que pensaban pasar las fiestas navideñas con parientes y amigos del otro lado del Río de la Plata. En la orilla contraria se anunciaba todo lo opuesto a lo que se esperaba para la Navidad en Buenos Aires: bailes de máscaras en los teatros de Solís y San Felipe, corridas de toros en la Aguada...

Los pasajes de ambos vapores fueron cubiertos con exceso, y especialmente los del "América", debido a sus renombradas comodidades para familias.

Entre los ciudadanos argentinos que se trasladaban hacia la costa uruguaya aquella fatídica noche, se contaban el joven matrimonio formado por Augusto Marcó del Pont y su esposa Carmen Pinedo Quesada, encanto de los salones porteños, que estaba embarazada; Lisandro Billinghurst; el reconocido escribano público Darío Béccar, con su esposa y su hija de un año y medio; el comerciante y marino mercante retirado Augusto Rohl y familia, y Luis Viale, que había trabajado durante la epidemia en la Comisión Popular al lado del doctor Roque Pérez, Carlos Guido y Spano, Bernardo de Irigoyen, Bartolomé Mitre y Manuel Quintana.

También viajaban en el prestigioso vapor Juan Manuel Larrazábal, su hijo Juan Antonio y su bella esposa Pepita Villar; un comerciante de apellido Onetto, al que esa misma noche, curiosamente y aprovechando su ausencia, unos desconocidos le incendiaban su negocio; el estudiante Isaac Larrain; el ingeniero uruguayo Sienra Carranza; Torcuato Villanueva; Jacinto Castro; Santiago Cansiatti; Manuel Garay; el sabio alemán Karl Burmeister, traído por Sarmiento para fundar el Museo de Historia Natural, y muchos otros.

Eran las personas que preferían viajar a las playas de la Banda Oriental antes que a las estancias, las sierras y los pueblos de veraneo.

Palacio de madera

El "América" era una suerte de palacio flotante de dos pisos sobre cubierta, con gran cantidad de camarotes a todo lujo y opulentas instalaciones, como los vapores que hacían la carrera por aquellos años en los Estados Unidos, en el Mississippi. Estos antecedentes son suficientes para comprender por qué la oligarquía argentina lo prefería para hacer sus viajes a Montevideo.

Era un barco de poco calado y mucho lastre. Para su construcción fueron empleadas maderas muy delgadas y livianas.

Su patente de barco flamante lo hacía doblemente prestigioso. Había sido terminado de construir en 1868 en los astilleros de Boston por los armadores McKay & Aldney y Cía., diseñado especialmente para la navegación en el Río de la Plata. Era una nave de lujo que desplazaba más de mil toneladas. Una vez en la Argentina, en ese mismo año, la pequeña alhaja de la ingeniería naviera fue puesta a cargo de un experimentado marino, el capitán Bartolomé Bossi, un italiano de 50 años, que conocía palmo a palmo las vías fluviales de esta región americana, dado que durante más de treinta años había estado al mando de distintas embarcaciones que hicieron el comercio por río en los territorios de la vieja Confederación y aledaños.

El capitán Bossi, además, tenía estrechos vínculos con lo más notable de la sociedad porteña, por ser el esposo de la hija del general Cáceres, destacado guerrero de la independencia argentina. Por otra parte, era accionista de la compañía naviera dueña del "América".

Cuando el "América" se hizo a la mar por primera vez, el 28 de febrero de 1868, se realizaron grandes fiestas. Su madrina fue Sara de la Serna de Flores. El esposo de la señora Sara era el capitán Pedro Lorenzo Flores, distinguido marino, comandante de otro barco famoso de la época, el vapor "Yi". Un sello premonitorio, dado que el "Yi" se incendió poco antes que el barco comandado por el capitán Bossi.

El "América" fue inscripto con matrícula italiana y demostró sus condiciones de navegación atravesando, sin peligro alguno, el océano en breve plazo. Sus armadores habían anticipado que sus calderas podían soportar 45 libras de presión.

La llegada del ilustre vapor al Río de la Plata fue objeto de floridos comentarios por parte de la prensa porteña, que también se deshizo en elogios hacia el capitán italiano.

Durante los primeros viajes todos los pasajeros quedaban maravillados por el excelente carácter del comandante Bossi, que no mezquinaba el trato con ellos y se mostraba alegre, expansivo y solícito. Sin embargo, luego de la tragedia del vapor "Yi" su carácter cambió radicalmente, y se volvió taciturno y despótico con la tripulación, sin importarle que los pasajeros fueran testigos de su prepotencia.

Una de las anécdotas más comentadas por la tripulación y el personal de servicio se refería a la vez que el capitán Bossi encontró a bordo una caja con cartuchos llenos de pólvora sin remitente. Nunca pudo averiguar si esa caja era una broma hecha por su gente, que conocía su terror de que el buque se incendiara, o un sabotaje real, encargado por una empresa de la competencia. Sus indagaciones llevaron su personalidad de por sí extraña —paranoide, diríamos hoy— hasta límites intolerables en un marino experimentado.

Bossi vs. *Morse*

Pocos días después del hallazgo, en la noche del 5 al 6 de enero de 1870, los pasajeros del "América" oyeron una fuerte detonación a bordo: uno de los tubos de la caldera del vapor había estallado. Se había abierto una brecha en el casco y entraba agua a raudales.

Cerca del "América" navegaba otro vapor de la carrera, el "Villa del Salto". Su capitán, el norteamericano John O. Morse, un hombre feliz de no haber perdido la vida en la Guerra de Secesión, que había desangrado su país pocos años atrás, ordenó hacer sonar el silbato de su nave para acudir en ayuda de su colega italiano. Al llegar a tierra la tripulación contó que Bossi estaba fuera de sí, lleno de odio hacia el otro capitán que había puesto en evidencia una falla en su foja de servicios. Ni siquiera tuvo un gesto de agradecimiento hacia Morse, aunque más no fuere, para salvar las formas.

Es curioso notar que aquel accidente que no arrojó pérdidas también se produjo en una festividad católica, la Noche de Reyes.

Pero hubo muchos otros viajes y ésa no sería la única vez que Bossi necesitara la ayuda del capitán Morse. No pasó demasiado tiempo hasta el momento en que el comandante norteamericano le salvó la vida. Por cierto que Bossi tampoco se lo agradeció.

La noche del 23 al 24 de diciembre de 1871, además de la tripulación, la nave comandada por Bartolomé Bossi llevaba 200 pasajeros, a pesar de que en la lista que se conserva en la Capitanía del Puerto figuraban tan sólo 140. Pero esta cifra es menor que la real, ya que en esa época se estilaba que los pasajeros que se embarcaban a último momento sacaran los pasajes a bordo.

El diario *La Tribuna*, que gozaba de cierta popularidad en aquel tiempo, señala que en el "América" viajaban, la noche de la tragedia, 206 personas. El barco zarpó a las seis y media de la tarde, y con el ruido ronco de sus ruedas enfiló hacia el canal de salida del puerto. Media hora antes había salido el vapor "Villa del Salto", con alrededor de 150 pasajeros. Ambos tenían como destino Montevideo.

Las primeras horas del viaje fueron amenas, agradables, sin ninguna clase de emoción. Algunos de los pasajeros, veteranos en ese recorrido, se entretenían mirando sus relojes y esperando que el "América" pasara al "Villa del Salto", como casi siempre ocurría. Estaban al tanto de que el capitán Bossi sentía una gran rivalidad hacia el comandante Morse. Cosas de gringos, pensaban...

A bordo otros pasajeros se entretenían con improvisados conciertos de piano y canto, algo habitual en el "América". El salón se llenó de bailarines, y después de cenar, se continuó danzando hasta las diez.

La noche era clara, el río estaba tranquilo y la brisa prometía un viaje agradable. Algo inusual en las crónicas de naufragios. Los románticos preferían contemplar el horizonte, pero los más, gente de mundo, elegían descansar en el camarote para aprovechar mejor la jornada siguiente en la capital uruguaya. A lo lejos se veía una lucecita brillante. Pertenecía a un buque más modesto, en general desdeñado por la oligarquía porteña, el "Villa del Salto", al que esperaban pasar de un momento a otro.

Uno de los sobrevivientes de la tragedia que se desataría pocas horas después, Lisandro Billinghurst, refirió a la prensa de la época que la causa de la tragedia fue esta vieja rivalidad, y que el capitán del "América", Bartolomé Bossi, había decidido jugarle aquella noche, nuevamente, una carrera al "Villa del Salto", comandado por John O. Morse.

Así lo testimonió Billinghurst a *La Tribuna*: "Parece que para lograr su intento, el comandante Bossi ordenó al maquinista aumentar el vapor de las calderas, doblando así la marcha al extremo de que a la una y media, más o menos, de la mañana, el 'América' estaba a un costado del 'Villa del Salto', separados el uno del otro apenas por un tiro de fusil. Poco después de esa hora, y habiendo pasado delante del 'Villa del Salto', algunos tubos de la máquina del 'América' estallaron con fuerte explosión, produciendo derrames de agua caliente que anegaron algunos camarotes y rompieron los cristales en varias partes del buque. Al ruido, casi todos los pasajeros abandonaron los camarotes, la mayor parte de ellos casi desnudos, pues estaban durmiendo".

Sálvese quien pueda

La oficialidad y el comandante del barco trataron de llevar calma a los pasajeros, diciéndoles que no se trataba más que de una avería que sólo haría retrasar un poco la nave, que pronto reanudarían el viaje y al día siguiente, a las nueve, estarían en Montevideo. Pero la realidad contrastaba con sus palabras.

Luego de dos explosiones que alarmaron a todos, el capitán, sentado en el salón, mandó decir a los pasajeros que se fueran a dormir porque no había peligro. Sin embargo, muchos no obedecieron porque dudaban del cuadro de situación que presentaba Bossi. Entre los pasajeros que no se acostaron estaba Carmen Pinedo de Marcó del Pont.

"Desde ese instante —continuaba el testimonio de Lisandro Billinghurst—, de una de las ventanillas que estallaban sobre la máquina se desprendió una gruesa columna de humo, que un segundo después era reemplazada por una llama voraz. Se produjo el terror entre los pasajeros. Ya no necesitaban averiguar qué había pasado. Esa enorme lengua de fuego era la realidad. El 'América' se incendiaba. El comandante Bossi dio la voz de 'sálvese quien pueda', y no se ocupó de salvar a los pasajeros ni de apagar el incendio".

La visión aterradora del "Yi" incendiándose tal vez fuera lo único que cruzaba por la mente del capitán en aquel momento. La esposa del comandante de aquel buque era la madrina del "América". Y Bossi estaba arrepentido de no haber sido más supersticioso antes de subirse al vapor flamante, al que sólo había que agregarle una letra para que se transformara en flameante.

En aquel momento, el capitán Bossi estaba en la proa del buque, acompañado por un solo marinero, el farolero de a bordo, Joaquín Franco.

De inmediato el barco se partió en dos y el fuego comenzó a propagarse por todos lados, arrasando con lo que encontraba a su paso, incluyendo botes y salvavidas, y en una forma tan veloz que muchos ni siquiera alcanzaron a entender lo que estaba ocurriendo.

Los gritos de pánico se sumaban a la tragedia que ya no era posible detener. De los 200 pasajeros sólo sobrevivieron 66. Los relatos de algunos de ellos cuentan el espanto de una escena infernal en la que perdieron la vida casi 150 personas pertenecientes en su mayoría a la oligarquía porteña de entonces.

Un cronista de *La Tribuna* se refirió a los escasos medios de auxilio a bordo del vapor: "Los elementos de salvamento eran muy reducidos, no atinando todo el mundo sino a procurarse un salvavidas, una tabla o un medio de asirse. El desorden, cada vez en aumento, impedía organizar el salvamento, entrando en acción revólveres y cuchillos para apoderarse y quitárselos a los que los tenían, aumentando el horror del cuadro".

Una vez declarado el fuego, los tripulantes y la gente de servicio tomaron el primer bote salvavidas y huyeron. Muchos pasajeros vieron al capitán Bossi hacerse de un salvavidas y huir.

La única excepción fue el marinero Joaquín Franco, que se quedó hasta último momento, consiguiendo maderas para que los náufragos pudieran mantenerse a flote. Para él jamás hubo homenaje.

Sólo quedaba otro bote en el que, obviamente, no entraban los más de 200 pasajeros. Tomaron ubicación 27 de ellos, pero se volcó y murieron seis. Los que no pudieron abordarlo, en medio de la desesperación, se lanzaron al agua en tablas de madera o, si podían hallarlo, con un salvavidas. Otros simplemente fueron arrastrados por las olas que barrían la cubierta.

A pesar de que el "Villa del Salto" estaba a tan sólo doce millas de distancia, la sirena no funcionaba. Pero gracias a un atento práctico que descubrió lo que estaba sucediendo en el "América", el "Villa del Salto" acudió en su socorro. Tardó casi tres horas en llegar al lugar del naufragio. Horas interminables para los pasajeros que luchaban desesperadamente por sobrevivir.

Salvavidas y puñales

Una de las historias más terribles fue la de Darío Béccar, que logró poner a salvo a su mujer y a su beba en un salvavidas, pero fue arrastrado por la corriente y, con una enorme impotencia, vio cómo otro náufrago apuñalaba a su esposa para robarle el salvavidas. Béccar sobrevivió y nunca pudo borrarse ese sufrimiento del corazón.

Algunas familias, sin embargo, lograron salvarse completas. Uno de estos casos fue el del comerciante y ex marino mercante sajón Augusto Rohl, que ante el inminente peligro ordenó a su mujer y a sus tres hijos que se colocaran los salvavidas que, tras una desesperada búsqueda, logró encontrar. De inmediato se arrojó primero él al agua, y le había ordenado a su hijo mayor que acto seguido arrojara a su madre y a su hermana y luego las siguiera. Su consigna fue "todos o ninguno". Así permanecieron juntos en el agua hasta que fueron socorridos por un bote del "Villa del Salto".

Una vez a bordo, el viejo capitán Rohl colaboró activamente con el comandante Morse en el rescate de los náufragos.

Algunos pasajeros que sabían nadar no trataban de salvarse solos, sino que se lanzaban a auxiliar a los que no se sostenían a flote, llevándolos hasta un bote o un trozo de madera que pudiera servirles para mantenerse a flote y esperar a ser rescatados. Aferrados a las tablas que pudieron tomar hubo náufragos que resistieron hasta cuatro horas.

El uruguayo Artagaveitía, que era un gran nadador, se zambulló desde lo más alto de la borda después de haber entregado su salvavidas a dos señoras, pero al salir a flote descubrió que otro náufrago se le había aferrado a una pierna con peligro de hundirlo en su desesperación. El nadador tuvo que luchar denodadamente con el desesperado hombre, hasta que consiguió zafarse. Algunas crónicas señalan que Artagaveitía llevaba calzoncillo largo y que al desprenderse de él se sacó al otro náufrago de encima.

En tanto, el señor Ghiraldo también cedió su salvavidas a una mujer y se refugió en la quilla del "América". Allí se encontró con el escribano Garrido, que nadaba tratando de sostener a flote a su esposa. Ghiraldo los ayudó a colocarse en las palas de la rueda del vapor, pero el fuego también hizo presa de ese sector, de manera que tuvieron que arrojarse al agua. No volvió a saberse del matrimonio Garrido.

El sacrificio de Luis Viale

Augusto Marcó del Pont y Carmen Pinedo Quesada, corridos por las llamas, se lanzaron al agua. Acababan de ver sucumbir en la hoguera a Pepita Villar de Larrazábal, abrazada a su marido, y también a su suegro. Marcó del Pont hacía denodados esfuerzos por mantener a flote a su mujer, pero las fuerzas se le agotaban. Luis Viale, que había conseguido un salvavidas, se le aproximó y se lo ofreció con estas palabras: "Tome, señora. Usted es joven y tiene que salvar otra vida. Yo ya he vivido bastante". Luego se alejó braceando sobre las oscuras aguas.

Otra versión cuenta que Viale era amigo íntimo de Marcó del Pont, y que le habría cedido el salvavidas a su camarada, quien a su vez eligió dárselo a su esposa.

Y una tercera variante refiere que el sobrino de Luis Viale logró conseguir dos salvavidas, y que Augusto Marcó del Pont le pidió uno para su mujer. "Yo sé nadar, pero ella...", imploró al joven. Entonces Viale intercedió y dijo: "Yo también sé nadar. Sálvese, señora, que por mí no debe perecer ninguna mujer". El sobrino trató de hacerlo entrar en razón: "Tío, reflexione usted que el único elemento que le queda es ése". A lo que Viale responde: "Déselos, hijo mío, que ellos son jóvenes. Yo ya he vivido demasiado".

Luis Viale tenía 56 años. Augusto y Carmen, muchos menos.

Ni Viale ni Marcó del Pont sobrevivieron, pero Carmen Pinedo quedó flotando gracias al salvavidas de Viale, y fue socorrida por los botes del "Villa del Salto". Pocos meses después dio a luz una niña, que sería Carmen Marcó del Pont de Rodríguez Larreta.

La existencia de Luis Viale estuvo siempre signada por hechos valiosos. Ya en 1852 se había arrojado a las aguas del río Paraná, en la ciudad de Corrientes, para salvar a un hombre que se estaba ahogando. La prensa de aquellos días se hizo eco del suceso. Y no sólo se destacó en actos de valentía individual, sino que ayudó a organizar asociaciones solidarias, como la Sociedad de Socorros Mutuos Unión y Fraternidad, en San Nicolás. También figura entre los fundadores del Hospital Italiano. En la faz comercial, se lo conoce como fundador del Banco de Italia y Río de la Plata, junto con José Piaggio, Marcos Demarchi, Antonio Devoto y Nicolás Schiaffino. Esto sin contar la heroicidad de la que hicieron gala todos los que integraron, a comienzos de 1871, la Comisión Popular, que se quedó en Buenos Aires a prestar servicios voluntarios a quienes hubieran sido afectados por el flagelo de la fiebre amarilla. Personas de gran coraje, que no temieron contagiarse y morir en la epidemia.

Sin embargo, a Luis Viale le tocó perecer en una tragedia colectiva tan luctuosa como aquélla.

A raíz de su heroica muerte, el pueblo de Buenos Aires, conmovido, promovió una colecta para levantarle un monumento que perpetuara su memoria. A instancias del intendente Torcuato de Alvear, quedó integrada una comisión de ilustres personalidades que se encargaría del asunto. Entre ellas figuraban Dalmacio Vélez Sarsfield, Federico Pinedo, Martín de Gainza, José Murature, Miguel Cané, Pedro Goyena y José María Rosa.

El 5 de mayo de 1882, el monumento en bronce, obra del escultor italiano Eduardo Tabacchi, fue emplazado en el cementerio del Norte (hoy, de la Recoleta). Años después, fue trasladado a la avenida Costanera.

En la inauguración del monumento, Manuel Quintana, quien fuera compañero de Viale en la Comisión Popular y luego presidente de la Nación, pronunció estas palabras: "La probidad, la dignidad y la honradez, en sublime consorcio, constituían el fondo del ser moral del héroe y mártir, que ennobleció a la humanidad, al sacrificar su vida para salvar la ajena, entrando a las regiones de la inmortalidad".

Se comentó que Luis Viale era un conspicuo miembro de la masonería local, y que sus compañeros no iban a dejar partir sin honores a un hermano tan querido.

Pero Viale no fue el único valiente la noche aciaga de 1871 en el Río de la Plata. Es digno de destacar también el coraje de José Pondal, que ayudó a salvar muchas vidas y murió luchando contra el río.

En tanto, el "Villa del Salto" realizó el grueso de las tareas de rescate. Y a su capitán le cupo incluso la tarea de sacar del agua a su colega Bartolomé Bossi.

El comandante Morse recibió a los náufragos con calidez y afecto, y tuvo la deferencia de cederle su camarote y hasta su propia cama al capitán del "América". Pero una vez que los pasajeros del barco incendiado comenzaron a reponerse, empezaron a gritar contra Bossi. Entonces Morse, asustado y temiendo que lo sacaran del camarote para lincharlo, se paró contra la puerta y lo cuidó personalmente hasta llegar al puerto de Montevideo. Después de todo, Bartolomé Bossi también era accionista de la compañía para la que trabajaba...

Mientras se realizaba el rescate, el vigía del Cerro había divisado en la noche de luna el resplandor del buque siniestrado, que ardía a veinticinco millas de distancia, y dio aviso al capitán del puerto de Montevideo, quien dispuso que se adoptasen las medidas necesarias para ir en su auxilio. Pero el "Villa del Salto" ya había hecho todo lo posible, y entró en Montevideo con la claridad del alba llevando la bandera a media asta.

La noticia del incendio había cundido por todo Montevideo, de manera que esa mañana una multitud salió a recibir al vapor de la carrera que llevaba a bordo a los náufragos del "América". Eran muchas las personas que aguardaban la llegada de familiares que habían quedado para siempre en el Río de la Plata.

En tanto, a las nueve de la mañana, hora en que normalmente hubiera llegado a Montevideo, el "América" terminaba de irse a pique.

La noticia del incendio y posterior hundimiento llegó por telégrafo a Buenos Aires ese mismo día, pero los diarios ya estaban en la calle, y al día siguiente, el de Navidad, no aparecieron. Tan sólo el 26 sus habitantes conocieron los pormenores de la catástrofe y los nombres de los sobrevivientes. El 26 de diciembre de 1871 señaló una de las fechas más desgarradoras para los porteños. Puertas y ventanas se cubrieron de crespones y en los templos enlutados se celebraron oficios religiosos por el descanso de las almas de los que habían fallecido en el incendio del "América".

Las tristes noticias paralizaron el comercio, no hubo funciones en los teatros y en los mercados no se realizó actividad alguna. Los porteños se quedaron inmóviles, esperando la llegada del nuevo año. Rezaban para que 1872 significara un renacimiento para todos.

El juicio al capitán Bossi

Hay muchas versiones respecto de las causas de la tragedia del "América". Una de ellas señala que al llegar a la altura de San Gregorio, el "Villa del Salto" dejó atrás al "América". La rivalidad que este último sostenía con los demás vapores en cuanto a su poca ligereza, determinó que el capitán Bartolomé Bossi, haciendo gala de una impericia absoluta, ordenara dar toda la fuerza a la máquina. Pero ésta no podía soportar más de 25 libras de vapor —a pesar de que los armadores habían especificado que el límite estaba en las 45 libras— y se le dieron 36. De inmediato reventaron los tubos de la caldera, el motor se detuvo y pronto apareció el fuego.

Cuando se le tomó declaración al capitán, que no se hundió con el "América", en Montevideo, trató de salir del paso alegando que al escuchar las explosiones bajó a la caldera, donde se le informó que se habían quemado los tubos, pero que no había peligro; una vez comenzado el fuego, mandó bajar los botes, pero no fue obedecido, y terminó abandonando el barco recién cuando llegó el auxilio. Estas declaraciones fueron refutadas por los pasajeros, que indignados trataron de hacer justicia por sus propias manos, aunque no lo lograron.

El proceso contra el capitán Bossi no fue demasiado largo. El comandante de la nave permaneció preso en Montevideo durante su transcurso, pero pronto recuperó la libertad.

No hubo represalias, finalmente, ni atentados contra la compañía, como en un principio se había temido. Solamente uno de los náufragos, Lisandro Billinghurst, lo retó a duelo, pero Bossi se negó a batirse argumentando razones sentimentales, como el amor a su país de adopción y a su esposa e hijos argentinos.

Otro náufrago, Burmeister, declaró que si hubiera tenido un revólver a mano hubiera matado como a un perro al capitán cuando lo vio tranquilamente en cubierta, sin haber dado ninguna orden atinada ni aconsejado a los pasajeros; pero agrega que en realidad un tiro de revólver era demasiada suerte para un cobarde como Bossi que debía ser linchado en la plaza pública.

Burmeister también declaró que el segundo comisario del "América" le había dicho, mientras comenzaba a sentirse olor a quemado a bordo: "Usted ve, el capitán está fumando en el salón; él no es un capitán inglés para hundirse con su buque; si pensara que hay algún peligro, sería el primero en tomarse un bote para salvar su vida". La tripulación no tenía simpatía por el capitán Bossi. El marino italiano se había vuelto muy malhumorado y déspota con el correr de los años, y maltrataba a los hombres que tenía a cargo.

Por su parte, el capitán retirado Rohl tuvo la impresión de que el incendio del "América" fue una venganza de los maquinistas, pues al estallar la caldera por el capricho de ir más rápido que el otro vapor, hubo tres muertos, dos foguistas y un ingeniero, y los restantes marineros decidieron quemar el buque en represalia. Nada descabellado si se tiene en cuenta la pésima relación de Bossi con su tripulación. La hipótesis de Rohl se basaba en el hecho de que varios minutos antes de que se declarara el fuego a bordo se vio un bote lleno de tripulantes como a doscientos metros del "América".

Días después de la Navidad de 1871, el diario *La Tribuna* hizo sentir una de las pocas condenas públicas que recibió el capitán del "América": "Ninguno de los náufragos le debe la vida al comandante Bossi, y sin embargo, el primer deber de un comandante de buque es tratar de salvar a los pasajeros, pereciendo él si aún queda alguno a bordo que necesite ser protegido".

Otras voces, contraria e incomprensiblemente, se alzaron para defender al capitán. Eso sucedió con el número 10 del periódico *El Americano*, dirigido por Héctor F. Varela. En él puede encontrarse una carta que el comandante Bossi enviaba al director, de quien era amigo. En ella se lamentaba de las graves inculpaciones que se le habían hecho. Para justificarse, el capitán se refería a la defensa que de su persona había hecho otro diario porteño, *El Siglo*. Éste fue el juicio valorativo publicado en este periódico: "El infortunio es tan grande y la responsabilidad sobre el señor Bossi es tan tremenda, que por nuestra parte nos sentimos sensiblemente inclinados, desde un primer momento, a guardar circunspección y reserva".

Más adelante continúa *El Siglo*: "Herida e impresionada como estaba la imaginación popular, las versiones más falsas y más extravagantes corrían de boca en boca, y servían de fundamento al desahogo de los dolores más agudos y de la desesperación más justificada por parte de los que habían asistido personalmente al cuadro horrible de un centenar de criaturas humanas devoradas por el fuego o sepultadas en el mar".

Más allá de la cobardía de Bartolomé Bossi, los náufragos del "América" valoraron la dedicación puesta en el salvamento por el capitán Morse. El marino norteamericano, en un solemne acto público, recibió una medalla de oro con la siguiente inscripción: "Los sobrevivientes del vapor 'América' al capitán John Morse, con eterno agradecimiento". Y cada uno de sus oficiales también recibió una medalla de plata con una leyenda semejante.

Pasaron los años y el último recuerdo que queda del capitán Bartolomé Bossi es una fotografía tomada en 1890, en la que se lo ve anciano, de barba y anteojos, luciendo con orgullo un puñado de condecoraciones.

"ROSALES"
Primera mancha en la Marina argentina

l fin del siglo XIX llegó de la mano de experimentos tan misteriosos como la fotografía en colores, algo que comenzó a probarse en 1892, pero de lo que los porteños no tuvieron novedad. Este procedimiento fotográfico cromático, dotado del movimiento que le imprimiría el cine, fue el medio por el que todo el país iba a conocer, noventa años después, en forma masiva, los horrores en torno del hundimiento de la "Rosales".

Hasta el 9 de julio de 1892 la Armada argentina había podido considerarse con razón la digna heredera de aquella flota heroica del irlandés Guillermo Brown. Sin embargo, esa fecha, que podría haberse considerado como otra festividad patria más, con chocolate en Casa de Gobierno incluido, se convirtió en la primera mancha de deshonra sobre la Marina de Guerra nacional.

El 7 de julio había sudestada en el Río de la Plata. Aparte de las características inundaciones en los barrios bajos, poblados por orilleros e inmigrantes genoveses y gallegos, los vientos no parecían presagiar ningún peligro para la navegación.

Ese día partirían los buques argentinos que habían sido invitados por el gobierno español a la mayor concentración naval de la historia, en conmemoración de los cuatrocientos años de la llegada de los europeos a América, que se realizaría en el legendario Puerto de Palos. El presidente Carlos Pellegrini estaba muy entusiasmado con el acontecimiento, del que participaría parte de su flota de mar.

En representación de la Argentina estarían presentes en la conmemoración los cruceros "Almirante Brown" y "25 de Mayo" y la cazatorpedera "Rosales".

Este último buque llevaba el nombre de Leonardo Rosales, uno de los oficiales de la gloriosa flota del almirante Guillermo Brown, pionero de la Armada del Río de la Plata. Rosales combatió en la Guerra del Brasil, al mando de una de las ocho cañoneras de que disponía la Marina argentina, junto con otros oficiales de la talla de Espora (una nave gemela de la "Rosales" llevaba este nombre) y Masón. Años después, el comandante Leonardo Rosales participó en las guerras interprovinciales que se desataron a fines de la década de 1820. En 1829 estuvo al mando de la expedición porteña, enviada por el general Alvear contra la provincia de Santa Fe, gobernada por Estanislao López. Tanto en la lucha contra el enemigo brasileño como en las batallas libradas en las luchas intestinas de nuestro país, Rosales demostró bravura y serenidad, virtudes que lo hicieron célebre entre sus hombres y entre los demás oficiales.

Con la cazatorpedera que llevaba el nombre del valeroso marino a la zaga, las tres naves, aquel 7 de julio ventoso, iban dejando atrás el estuario del Río de la Plata, alineadas, con las velas bajas y a media máquina. Sin embargo, el viento cambió levemente de dirección para transformarse en un furioso pampero.

El capitán de fragata, Leopoldo Funes tenía a su cargo el comando de la cazatorpedera "Rosales". Salvo él, ninguna otra persona había conducido el buque desde su botadura en los astilleros Cammel en Birkenhead, Gran Bretaña.

Antes de salir hacia España, la "Rosales" había tenido un choque en el canal de acceso a Buenos Aires con el buque mercante "Spencer". Hay versiones que señalan que la colisión se produjo siete meses antes, otras dicen que fueron dos meses y por último hay quienes indicaron que se produjo apenas diez días antes.

En cuanto a la actitud del capitán Funes al respecto, también existen, por los menos, dos versiones. La primera señala que consideró innecesario someter a la nave a reparaciones y no denunció el incidente a las autoridades. Se sospecha, si es que fue así, que la razón era no perderse el viaje a Europa y los festejos en el Puerto de Palos.

Sin embargo, en un artículo publicado en la revista *Ahora* en 1994, el contraalmirante Horacio Zaratiegui dice: "El capitán Funes da cuenta del accidente y, pasado cierto tiempo, el buque entra en reparaciones. Todo esto está perfectamente documentado hasta el punto de haberse destinado la suma de 8.256 pesos para pagar los trabajos. El caso es que cuando se designa a la 'Rosales' para viajar a España, en reemplazo de otra nave, las reparaciones no estaban terminadas. En ese momento, Funes comete su único error, por el que es condenado a un año de suspensión de empleo: no informa que las reparaciones no se habían completado".

De ser cierto que la cazatorpedera alguna vez fue a dique seco para reparación, las planchas no quedaron en condiciones de realizar una larga travesía. Por otra parte, el buque era pequeño. Tenía apenas 550 toneladas de desplazamiento, por lo cual sólo era apto para la navegación fluvial o costera.

A pesar de estos hechos, el Almirantazgo consideró que la "Rosales" era uno de los barcos indicados para hacer el viaje a través del océano. Posiblemente porque no había otros mejores.

Marineros de tierra adentro

La dotación de la cazatorpedera estaba compuesta por ochenta hombres, en su mayoría inmigrantes y cordobeses reclutados tierra adentro, sin instrucción, a tal punto que algunos verían por primera vez el mar.

El capitán de fragata Aldo Néstor Canceco informaba al desaparecido semanario *Siete Días*: "Con respecto a la tripulación, se armó a último momento. Se reunieron marinos de otras embarcaciones, unos con experiencia y otros jóvenes, como el grumete César González Casas, de catorce años. En aquella época los reclutamientos de la Armada eran así, ya que las escuelas recién se estaban formando y la gente aprendía el oficio a bordo".

Leopoldo Funes era un hombre joven. Tenía apenas 33 años y se lo consideraba responsable y taciturno. Y nada simpático, por cierto.

La madrugada del 8 de julio el cielo se había cerrado en un manto negro que presagiaba una fuerte tormenta. No había que ser adivino para saber que a ese cielo negro seguiría un viento huracanado. Las olas comenzaron a barrer la cubierta de la "Rosales". Las constantes sacudidas abrieron una brecha en el casco del barco, ya resentido por el choque con el "Spencer". El agua entraba en forma lenta pero firme. Se supone que después fueron varias las planchas que se desprendieron. Las olas alcanzaban nueve metros de altura.

El "Almirante Brown" y el "25 de Mayo" habían desaparecido de la vista, y a esa altura estarían ellos mismos luchando contra el temporal en el mar. La "Rosales", la más débil de las tres naves, en tanto, estaba sola, librada a su propia suerte y a la de los hombres que la comandaban. No había posibilidad de pedir auxilio.

A las ocho de la noche, el primer maquinista de la "Rosales" informó que había escuchado un ruido bajo la caldera de proa y que posiblemente la nave hubiera chocado contra alguna formación rocosa, o contra el casco de un barco hundido.

El 9 de julio era fecha de luto a bordo. El naufragio era inminente. Las bombas de achique expulsaban menos cantidad de agua de la que entraba y la proa se sumergía a simple vista.

El capitán Leopoldo Funes se reunió con sus oficiales y decidió abandonar la nave.

En su libro *La novela del mar*, Mariano Bengoechea defiende al capitán de la "Rosales": "El comandante arengó a la gente; su gesto tranquilo infundió calma y se preparó el desembarco. Varios oficiales dirigían la construcción de una balsa... Por fin, después de inauditos esfuerzos, algunos botes pudieron desprenderse del costado; al arriarse la balsa, ésta se destrozó en parte, cayendo al mar el contramaestre Lacroix y sus demás tripulantes... Cuando el jefe se convenció de que no quedaba nadie a bordo, abandonó el buque que, momentos después, se sumergía para siempre".

En tanto, en los otros barcos se preguntaban qué habría sido de la "Rosales". El comandante de la pequeña flota, Daniel De Solier, célebre en la Armada por haber sido revolucionario radical en 1890, al no recibir respuesta de las señales con los faros, creyó que la pequeña cazatorpedera había buscado refugio en la costa y siguió su rumbo.

Como siempre, botes insuficientes

Sin embargo, la situación a bordo del pequeño barco era bien diferente. A esa altura, la oficialidad hacía cálculos muy simples: los botes eran insuficientes para salvar a todos. Es más, ni siquiera alcanzaban para el rescate de la mitad de la tripulación.

Está en discusión si los oficiales ordenaron que se construyera una balsa con las maderas que se encontraran a mano. Alguna fuente señala incluso que fue el comandante quien ordenó la construcción de la balsa destinada a albergar a 15 náufragos (casi una broma de mal gusto si se tiene en cuenta que había que salvar a 80 hombres).

Lo cierto es que el capitán Funes, con premura, ordenó embarcar a los contramaestres y oficiales de mar (según se denominaba en esa época a los suboficiales) en unos botes, y la lancha restante, mejor equipada, fue destinada a los maquinistas, los oficiales, dos marineros y el comandante. Así abandonaron la nave.

¿Qué pasó con el resto de la tripulación? ¿Y los cordobeses que nunca antes habían visto el mar?

Lo cierto es que se salvaron únicamente las personas que iban a bordo de la lancha de la oficialidad, con el capitán Funes incluido. Éste fue el único bote que tocó costa uruguaya. De los suboficiales y contramaestres no se supo más. Ni siquiera aparecieron cadáveres o uniformes flotando en el río, en el mar, o en las costas.

En la mañana del día siguiente avistaron una corbeta, pero desde el barco no los vieron ni escucharon los gritos de los sobrevivientes de la "Rosales".

El sol comenzaba a asomar en la costa uruguaya. La tormenta había quedado atrás. El 10 de julio el grupo formado por veinticuatro náufragos sabía que pronto tocarían tierra. Sin embargo, por las dudas, seguían racionando el agua y la comida.

Después de mucho remar, los náufragos divisaron tierra a las cinco de la tarde. Era el cabo Polonio, lugar que hoy se ha convertido en uno de los sitios preferidos por los turistas argentinos adinerados que visitan Uruguay, y que por entonces era un páramo lleno de peñascos donde soplaba un viento endiablado. En aquellos remotos días de 1892, en cabo Polonio solamente había un faro que señalaba el rumbo a las naves que hacían su ruta al abrigo de la costa. Algo que debió haber hecho la "Rosales" para gozar de una mejor suerte.

Sin embargo, ese sitio fue otro lugar de desastre para lo que quedaba de la tripulación de la cazatorpedera. La lancha chocó contra los peñascos costeros y volcó. Los náufragos fueron despedidos a diestra y siniestra. El alférez Giralt, el maquinista Silvany, el foguista Heggie y el grumete González Casas se perdieron en el mar, en tanto que el guardiamarina Gayer fue devorado por los lobos marinos luego de haber quedado desmayado sobre las rocas.

En total, sobrevivieron diecinueve náufragos. El alférez Irízar fue el único que tuvo fuerzas para caminar cinco kilómetros en dirección al faro, para pedir auxilio. Irízar sería quien años más tarde, al mando de la corbeta "Uruguay", salvaría a los integrantes de la expedición sueca de Otto Nordenskjöld en la Antártida.

Los sobrevivientes de la "Rosales", finalmente, fueron rescatados por unos cazadores uruguayos, que los llevaron en carro hasta el primer poblado.

Una semana después de la partida, el 15 de julio, los náufragos de la "Rosales" llegaron al puerto de Buenos Aires en el vapor de la carrera "Saturno", procedente de Montevideo.

En un primer momento, los sobrevivientes fueron considerados héroes y como tales los recibieron en el puerto importantes personalidades del gobierno. Incluso se organizó una colecta popular para comprar un buque gemelo a la "Rosales". Sin embargo, había algo que molestaba un poco: ¿cómo pudo ocurrir que el capitán Funes no siguiera la ley del mar y se hundiera con su barco? Y más aún teniendo en cuenta que la mayor parte de la tripulación había muerto ahogada.

Y otra pregunta: ¿por qué no distribuyó a su oficialidad en los distintos botes, dejando al resto de los náufragos sin dirección a bordo?

Estos interrogantes, en forma de oscuros rumores, ganaron la calle. Como consecuencia, los diecinueve sobrevivientes de la "Rosales" fueron llevados de inmediato presos e incomunicados a una dependencia de la Armada.

Don Bartolo versus el Zorro Roca

Estos interrogantes fueron aprovechados políticamente por Bartolomé Mitre, que estaba librando un encarnizado enfrentamiento con su histórico rival, Julio Argentino Roca. Este último, consagrado en la sociedad porteña por haber arrasado con los indios en su campaña en el sur en 1879, venía en baja en cuanto a popularidad, luego del derrocamiento de su cuñado Miguel Juárez Celman, a raíz de la crisis económica de 1890. Pero como sucede siempre con este tipo de figuras, hoy diríamos que Roca logró "reciclarse" muy pronto.

Si bien Mitre había quedado bien parado después de los hechos revolucionarios de 1890, Roca terminó ganándole de mano echando por tierra la candidatura que el viejo don Bartolo tenía preparada para las próximas elecciones. La jugada fue simple y perfecta. Mitre propuso como candidato a un hombre de su confianza, Roque Sáenz Peña, y Roca, como contrapartida, tiró sobre el tapete el nombre de un viejo político de su rebaño, Luis Sáenz Peña, padre del anterior.

73

Obviamente, don Roque renunció a su postulación, por respeto a su progenitor.

De resultas de esta maniobra política, Bartolomé Mitre estaba hecho una furia, dispuesto a tirar munición gruesa contra su enemigo "el Zorro" Roca. Y la "Rosales" podía proveerlo de artillería suficiente para causarle una seria herida a su rival. Ciertos parentescos, en este caso, resultaban beneficiosos a Mitre.

El capitán Leopoldo Funes era sobrino de la bella esposa de Roca, Clara Funes. En tanto que el segundo comandante, Jorge Victorica, era hijo de un diputado roquista y sobrino de Benjamín Victorica, próximo ministro de Guerra y de Marina del presidente Luis Sáenz Peña. Y para rematar la situación, otro oficial sobreviviente, Florencio Donovan, era hijo del jefe de policía.

El foguista Battaglia

Con el correr de las jornadas, el caso parece inclinarse a favor de don Bartolo. Un foguista italiano, Francesco Battaglia, hace declaraciones que siembran duda. Más adelante, su testimonio se volvería seriamente comprometedor para el capitán Funes.

Estas declaraciones del foguista italiano aparecen minuciosamente reproducidas en el muy citado artículo de investigación que el periodista e historiador Osvaldo Bayer publicó en 1967, en los números 2 y 3 de la revista *Todo es historia*. Hasta la fecha ésta es considerada la fuente más relevante sobre el hundimiento de la "Rosales".

Bayer toma de *La Prensa* un primer artículo titulado "Indignación", que dice: "No sin profundo desagrado, del que estamos seguros han de participar nuestros lectores, vamos a dar cuenta de haberse presentado en estas oficinas el foguista de la 'Rosales', Battaglia, uno de los salvados en el naufragio, a manifestar que se encuentra en la última miseria, sin recursos, y debiéndosele el haber de los meses junio y julio sin que le sea abonada esa mísera suma no sabe por qué dificultades de contabilidad a expedientes. Creemos que el Ministerio de Marina, el estado mayor o quien quiera que deba entender el asunto, previa justificación de identidad personal que es bien fácil de establecer por los mismos jefes y oficiales que vinieron con él en el bote, debe atender, pagar y cuidar de ese náufrago a quien no puede dejarse en medio de la calle sin darle siquiera sus sueldos. Battaglia se aloja en el hotel de la Estrella de Italia, calle Cuyo entre Cerrito y Artes".

Luego Osvaldo Bayer hace referencia a un artículo aparecido en *La Nación* el 13 de setiembre de 1892, en el que realiza declaraciones un italiano llamado Antonio Batalla, de 19 años, supuesto sobreviviente de la "Rosales", en la subprefectura marítima del puerto de La Plata.

El artículo transcripto comentaba: "Antes de abandonar el buque, el contramaestre que se decía había sido encargado de dirigir la balsa, fue designado para encerrar al resto de la tripulación en la bodega, que desesperada sobre cubierta clamaba por que no se la dejara abandonada, en tanto que la oficialidad, revólver en mano, la rechazaba. Fue en aquel momento que Batalla fue herido de un hachazo en la pierna en el instante en que trataba de subir al bote en que éstos se encontraban y fue también en aquel momento que el citado contramaestre era muerto de un balazo por otro oficial, porque alegando el estado de enfermedad en que se encontraba, pedía a su capitán lo condujera junto a él y demás oficiales en camino de salvarse. Dice Batalla que estando cerca del buque avistaron el otro bote que se ponía en marcha con gente; que en el bote en que ellos iban llevaban un barril de caña, llegando algunos de ellos al estado de ebriedad. La muerte de 5 de ellos al llegar a tierra, la reseña juntamente con el resto del viaje hasta llegar a Buenos Aires, de la misma manera que ya tienen conocimiento nuestros lectores. Añade que estuvo preso hasta el 5 de agosto en un piquete de marina, fecha en que fue enviado al buque 'El Plata' para que pudiera continuar trabajando como foguista de éste, trabajo que efectuó en la 'Rosales' desde el 24 de mayo próximo pasado en que ingresó cuando la torpedera se encontraba en el Tigre".

Más adelante, también según la investigación de Bayer, *La Nación* se corrige, pero las sombras sobre Funes ya estaban echadas. Y después de todo, tampoco es mucho lo que el matutino desmiente...

En su edición del día siguiente, el diario de los Mitre decía: "Ante todo en obsequio a la verdad, apresurémonos a decir que hemos sido inducidos a error al atribuir a Batalla o Bataglia, el que ha sido foguista de la 'Rosales', las referencias que publicamos ayer. El Bataglia verdadero fue aprehendido en esta ciudad y se halla detenido en la prefectura marítima, pero parece que durante el tiempo en que ha estado en libertad ha hecho a varias personas más o menos las mismas revelaciones que se han hecho públicas".

A raíz del artículo aparecido en *La Nación*, el oficial Jorge Victorica retó a duelo al director del diario, hijo de Bartolomé Mitre. Pero a pesar de este gesto, todo el periodismo se hizo eco de los rumores. Por otra parte, un diario de la colectividad italiana, *L' Operaio Italiano* desató una campaña debido a que la mayor parte de los tripulantes muertos en la "Rosales" eran inmigrantes de esa nacionalidad. La cantidad de desaparecidos italianos provocó que la embajada de ese país reclamara ante las autoridades argentinas.

El hombre más temido de las fuerzas armadas

En tanto, el juicio contra el capitán Funes y contra los demás sobrevivientes de la cazatorpedera hundida frente a cabo Polonio ya había comenzado. Pero las indagaciones se dilataban tanto que la opinión pública se iba olvidando del caso, para interesarse más por las nuevas autoridades del Ejecutivo, de las que se decía que habían sido puestas "a dedo" por Roca: el presidente Luis Sáenz Peña y el vicepresidente José Evaristo Uriburu.

El capitán de navío Manuel García Mansilla tomó a su cargo la defensa de los náufragos subalternos. A este marino se lo consideraba un hombre de carácter bondadoso y con alto espíritu de cuerpo. Era obsesivo respecto de los valores de patriotismo y de amor a la Armada. A cargo de la defensa del capitán Funes fue designado el alférez Mariano Beascoechea.

Por su parte, el contraalmirante Antonio Pérez fue nombrado fiscal. Fue a él a quien presentó su informe el comandante Leopoldo Funes el 15 de julio, día siguiente de la llegada de los sobrevivientes al puerto de Buenos Aires. Un mes después, Pérez renunció a su tarea por razones de salud.

Se supone que la renuncia del contraalmirante Pérez se debió a que dos días antes había dispuesto que se sobreseyera a todos los implicados, desde el segundo comandante hacia abajo. Pero apareció una orden superior por la que también se dispuso que se pusiera en libertad al capitán Funes. Ésta habría sido la razón de su renuncia, en opinión de otro de los investigadores del caso, proclive a la defensa del comandante de la "Rosales", el contraalmirante Horacio Zaratiegui.

De manera que el 17 de agosto, el anterior fiscal es reemplazado por el capitán de navío Jorge Lowry. En ese momento se consideró que nadie más que Lowry podía hacerse cargo del caso. El oficial tenía justa fama de insobornable y de extremadamente recto. Si había una verdad, él se encargaría de averiguarla.

Osvaldo Bayer lo describe así: "Un hombre que en las fuerzas armadas tiene fama de una severidad a toda prueba. Todos los casos difíciles se los daban a él. Muchos oficiales odian a ese hombre que aplica penas severísimas aun por el mero hecho de no saludar correctamente o no guardar la posición debida. Es un hombre apasionado por descubrir la verdad, pero muchas veces su apasionamiento lo ha llevado a enfrentarse a jueces y abogados defensores".

Lowry mostró una gran hostilidad hacia Funes por el hecho de no haberse hundido con su barco. El fiscal interrogó durante meses con obstinación a los sobrevivientes, a veces por más de seis horas sin levantarse él ni dejarlos moverse de la silla. Su particular interés rondaba alrededor de dos temas: si realmente se había construido una balsa y cuál había sido el destino del alférez Miguel Giralt.

Sin embargo, la actuación de Lowry no resultó nada simpática a los círculos de poder ligados a Roca. Desde distintos sectores se buscó dificultar su labor. La maniobra más eficaz en este sentido fue nombrarlo abogado en cuanto juicio apareciera en la Marina de Guerra.

A pesar de las dificultades, el barbado y adusto fiscal Lowry entregó, la mañana del 11 de marzo de 1893, en las manos del presidente Luis Sáenz Peña, dos enormes carpetas con el resultado de sus seis meses de investigación. La conclusión del informe era el pedido de pena de muerte para el capitán Leopoldo Funes. Lo acusaba de la pérdida de la cazatorpedera y de culpabilidad en grado criminal por el abandono voluntario y premeditado de la tripulación. Asimismo pedía una pena de diez años de prisión para el segundo comandante Jorge Victorica, por haber afirmado que había sido construida la balsa y que se había embarcado en las instancias de salvamento a toda la tripulación, lo que quedó desmentido por la contraposición de testimonios tomados personalmente por el fiscal. Por otra parte, solicitó también diez años de prisión para el oficial Pedro Mohorade, por fingir enfermedad en momentos en que debía comandar uno de los botes salvavidas.

Para el resto de los náufragos sobrevivientes, el fiscal Lowry pidió seis años de prisión. La pena era menor en los casos de los alféreces Goulú y Gaudin, el comisario Solernó, el farmacéutico Salguero y el foguista Francesco Battaglia, por haber contribuido al esclarecimiento de lo ocurrido la fatídica noche en que se perdió la "Rosales".

En realidad, su estrategia de solicitar penas tan severas para los responsables menores tenía como objetivo poder cambiar la posibilidad de sanciones menores para ellos por el efectivo cumplimiento de la pena de muerte para el capitán Funes, al que consideraba sin atenuantes un cobarde y un asesino.

En su alegato final, el fiscal Jorge Lowry sostuvo que, aunque no tenía pruebas, abrigaba la sospecha de que en torno de la muerte del alférez Giralt se escondía un acto criminal y agregó que pensaba que el capitán Funes habría asesinado al oficial después de una discusión sobre el tema de la balsa, que según el fiscal tampoco llegó a construirse.

El alférez Giralt había desaparecido cuando la lancha en la que se salvaron varios oficiales se estrelló contra los peñascos. En realidad, Lowry sostenía que Giralt se había salvado en ese momento, y que su muerte se habría producido después, de manera dolosa, para silenciarlo, debido a que habría estado dispuesto a decir toda la verdad sobre lo ocurrido.

A esta altura, la colecta popular para armar otro buque similar a la "Rosales" llamada por el diario *La Prensa* y avalada en un principio por el ex presidente Carlos Pellegrini, ya había quedado en el olvido.

En defensa del capitán funesto

A más de cien años de los hechos, siguen existiendo voces que se levantan en defensa del capitán Funes, entre ellas la del capitán de fragata Aldo Néstor Canceco, que sostiene: "Hay dieciocho testimonios que afirman que el capitán Funes ordenó la construcción de una balsa y que obró correctamente. Sólo Battaglia dice lo contrario. Se puede discutir el proceder de Funes, pero nadie puede saber cómo va a reaccionar en una situación extrema como es un naufragio, hasta que eso le sucede. Si se equivocaron, lo hicieron de buena fe y no emborrachando a los marineros para encerrarlos bajo llave en el pañol, como dijo Battaglia".

En el juicio, la defensa la hizo García Mansilla, que basó su alegato en el patriotismo y el honor de la Armada, dejando de lado las pruebas y los testimonios. Su estrategia apuntó a justificar la actitud de los sobrevivientes en la situación extrema que les tocó vivir.

"Sólo una imaginación enfermiza ha podido encontrar delitos o faltas en las constancias del proceso", dice el defensor.

Y continúa García Mansilla, según apunta Osvaldo Bayer: "Para poder juzgar con rectitud el proceder de mis defendidos es menester reconstruir la escena que ha debido producirse en el momento supremo del abandono de la 'Rosales'. Es necesario evocar los recuerdos de todos vosotros, señores miembros de este honorable consejo, de vosotros que pertenecéis todos a la ruda y honrosa carrera de la marina, pidiéndoos que recordéis con conciencia lo que es una noche de tempestad en el mar. Es menester figurarse la terrible agonía del pequeño barco atravesado a una mar espantosa en una noche de tinieblas y de horror; es preciso imaginar esa cubierta barrida por los golpes de mar que amenazan arrastrar a cada instante a todos sus tripulantes mientras que los lentos rolidos del barco y la pereza de sus movimientos revelan que ya no puede defenderse por mucho tiempo contra los embates de la tempestad y que está próxima la hora en la cual va a desaparecer para siempre de la superficie de los mares. El ruido ensordecedor del huracán que ahoga las voces de mando, el choque continuo de las olas que revientan contra la 'Rosales' transformada en inerte escollo bañando los entumecidos miembros de sus extenuados tripulantes, todos éstos son factores que deben tomarse en cuenta para juzgar debidamente la situación".

En cuanto al cargo del asesinato del alférez Miguel Giralt, el capitán de navío García Mansilla eligió una actitud grandilocuente, pero eficaz: "El consejo resolverá, yo, como defensor, rechazo con indignación, sin discutirla, acusación tan absurda".

Para concluir su arenga, como señala Bayer en su artículo de *Todo es historia*, García Mansilla usó argumentos que apelaban al sentimiento patriótico: "No son capaces los descendientes de los héroes de Chacabuco y Maipú, del Juncal y de Los Pozos de olvidar las tradiciones de sus mayores y llegar al olvido de sus deberes hasta ser infames y cobardes".

A lo que agregó: "Tenemos defectos, como toda nación joven, pero somos ante todo una raza viril y valiente con un glorioso legado de actos heroicos que están escritos con letra de sangre y oro en las páginas de nuestra historia".

En cuanto al alférez Mariano Beascoechea, defensor personal del capitán Funes, ya que García Mansilla había sido designado especialmente para defender al resto de la tripulación sobreviviente, señaló sobre la tarea que le tocó desempeñar: "He defendido al comandante Funes porque tengo la convicción de su inocencia; porque soy el compañero de escuela de sus oficiales y porque sé que nunca los que vestimos este honroso uniforme podemos ser capaces de hacernos pequeños ante el peligro".

El fallo del tribunal militar, a pesar del pedido de pena de muerte para el capitán Leopoldo Funes y de prisión mayor y degradación para los demás oficiales, fue de absolución. El único que recibió un castigo simbólico fue el comandante de la 'Rosales', al que se condenó a inhabilitación por un año por impericia en la navegación.

Pero a esa altura, todos, salvo los deudos de los náufragos fallecidos y los familiares de los sometidos a juicio, habían olvidado el escándalo de la "Rosales".

Las carpetas que el fiscal Lowry había entregado al presidente Luis Sáenz Peña fueron a parar a un archivo olvidado o a un canasto de residuos. El primer mandatario era íntimo amigo de Julio Argentino Roca y por lo tanto era uno de los principales interesados en que el caso quedara en el olvido y se dejara en libertad a los responsables.

En un gesto recurrente en la historia de nuestra patria, fue el presidente en persona quien refrendó el fallo alegando que la Argentina era una nación joven y que era necesario olvidar incidentes tan penosos que sólo servían para crear discordia.

Los sobrevivientes alcanzaron la edad del retiro sin haber ostentado cargos de relevancia, a excepción del alférez Julián Irízar, que se convirtió en comandante de la corbeta "Uruguay".

El capitán Leopoldo Funes jamás volvió a comandar un buque. Se lo destinó a tareas administrativas y terminó su carrera al frente de un juzgado para personal subalterno. Nadie más indicado para hacer justicia...

El naufragio en el celuloide

Estos hechos se mantuvieron en la oscuridad hasta que Osvaldo Bayer hizo pública su investigación en 1967. Y noventa años después del vergonzoso hundimiento de la "Rosales", fotografía en colores y movimiento mediante, el caso fue llevado al cine por el director David Lipszyc, con un libreto adaptado por Cernadas Lamadrid y Ricardo Halac, un dúo con una cuantiosa producción de materiales para la televisión argentina.

Los papeles principales fueron interpretados por el excelente actor de carácter Arturo García Buhr (en el papel del fiscal, capitán de navío Jorge Lowry), Héctor Alterio (como el capitán Leopoldo Funes), Ulises Dumont (como el foguista Francesco Battaglia), Ricardo Darín (como el segundo comandante Jorge Victorica), Martha Bianchi (esposa del comandante Funes), Alicia Bruzzo (mujer del foguista

Battaglia), Oscar Martínez (director del periódico anarquista), Soledad Silveyra (novia de Victorica), Aldo Braga (diputado Victorica, padre del segundo comandante), Raúl Rizzo (defensor García Mansilla), José María Monje (grumete César González Casas), Zelmar Gueñol (almirante del Estado Mayor de la Armada) y Carlos Muñoz (otro de los almirantes), entre otros.

Sobre las dificultades que se le presentaron al investigar el hecho, el director David Lipszyc comentó por entonces a la revista *Siete Días*: "No sé qué desinteligencia se suscitó, pero el hecho fue que, salvo facilitarme la investigación histórica, nada más me concedió la Armada, aduciendo una reducción de presupuesto que afectó a otras producciones como 'Los chicos de la guerra' y 'Cuarteles de invierno'. La comunicación provino del Ministerio de Defensa. Yo había señalado la necesidad de enfocar objetivamente una página negra para la Marina".

Es evidente que la Armada argentina no puede ser objetiva frente a manchas como la del hundimiento de la cazatorpedera "Rosales". Más de cien años después, el tema continúa siendo tabú. Los errores de realización, a pesar de las nobles intenciones del director, tampoco ayudan al espectador a acercarse al tema. Sólo la impecable interpretación del actor Arturo García Buhr en el papel del fiscal Lowry permite vislumbrar el espíritu de un escándalo que debió haber conmovido los cimientos de la Armada, pero que quedó como una simple anécdota perdida en expedientes amarillentos.

Las escenas del hundimiento del barco se filmaron en un galpón de 40 metros por 20, donde se apiñaron más de treinta personas, entre actores, extras y técnicos. Solamente el centro del galpón estaba iluminado por grandes reflectores. Se construyó una maqueta idéntica al buque original para las escenas de la tempestad, la botadura de las embarcaciones salvavidas y el movimiento de vaivén del barco. La escasez de recursos dejaba entrever inevitablemente los grandes ventiladores reproduciendo el rugir del pampero y las mangueras de los bomberos proveyendo olas artificiales, semejantes a baldazos de agua.

Para reproducir la "Rosales" se usó como modelo su gemela, la "Espora". A partir de ella se hizo una maqueta y luego se reprodujeron, en tamaño natural, las partes de la nave en las que ocurrieron hechos relevantes, como los camarotes de los oficiales, la sala de enfermería y el sollado donde habría sido encerrada la tripulación antes de que los oficiales abandonaran la nave.

En el barco imaginario se recreó una tripulación formada por actores y extras vestidos a la usanza de los marineros, los oficiales y los suboficiales argentinos del siglo pasado. A los oficiales se los armó con revólveres cedidos para la película por conocidos anticuarios porteños.

El costo de la producción fue de 300.000 dólares, un presupuesto cuya escasez se evidencia en el resultado final.

En la intención de la película subyace una crítica a las fuerzas armadas por otros hechos, como la represión contra los militantes izquierdistas durante la década de 1970 y los juicios de los que salieron absueltos los militares, y sobre todo una alusión a la conducción de la guerra de Malvinas y la falta de un juzgamiento a los responsables de los hechos de 1982.

"ANTARTIC"
Una desgracia con suerte

En el calor de diciembre de 1903, Buenos Aires estaba con-
movida y eufórica. Cien mil de sus 900 mil habitantes se
agolparon en las dársenas de Puerto Nuevo. Querían ver de
cerca a un puñado de héroes que desafiando las leyes de la lógica
marinera, habían surcado los mares antárticos para rescatar a los
miembros de una expedición científica extranjera. La historia era, en
efecto, romántica y admirable, y el pueblo porteño no vaciló en rendir-
le su tributo hasta el punto de que marcas de fideos, cigarrillos y
aceites fueron bautizados con el nombre de Sobral, uno de los protagonistas argentinos de la odisea.

En 1938, un veterano periodista de *Vea y lea*, Carlos Vega Funes,
escribía: "¡Era otro Buenos Aires! Y tan otro, que a los que lo vimos de
cerca nos parece mentira que sus casas se levantaran en este mismo
pedazo de tierra que hoy nos muestra sus rascacielos, sus avenidas,
sus diagonales...

"No llegaba al millón la cifra de los habitantes de la ciudad. Se
vivían días de inquietudes, y las conversaciones se dividían entre el
tema político y social. En la asamblea de notables del Príncipe Georges
Hall había sido proclamado poco tiempo atrás el doctor Quintana
candidato a presidente de la República por gran mayoría de votos, y
los republicanos acababan de decidirse por sus representantes en la
brega política: Uriburu y Udaondo.

"Las huelgas preocupaban. Eran horas de efervescencia obrera,
y entonces estas protestas proletarias causaban temores serios. Recuerdo también la huelga de los estudiantes que llenó de discursos

esquineros, de gritos y de corridas las viejas calles de la vieja ciudad…
Y la huelga de los carreros, y los tiroteos entre la policía y los obreros
en el puerto, y la ocupación de éste por soldados de línea…"

Si bien pocos argentinos recuerdan actualmente los nombres del
alférez Sobral, el capitán Irízar, el expedicionario Nordenskjöld, a comienzos de siglo sus nombres sacudieron al mundo. Un mundo que,
por otra parte, tenía todavía regiones inexploradas. Medio siglo después, sus estoicas hazañas casi anónimas serían diluidas por las que
encararon los cosmonautas, filmadas al instante para la televisión
satelital.

Los orígenes de la "Uruguay"

En cuanto a su designación o clasificación como tipo de buque,
indistintamente se la clasificó como corbeta mixta, sloop, cañonera,
transporte, hidrógeno, etcétera.

Fue construida en el astillero Cammel, de Laird Bross, en
Birkenhead, Inglaterra, por un contrato entre el gobierno argentino
—en ese momento encabezado por Domingo Faustino Sarmiento— y
la empresa, por una suma de 32 mil libras.

Mide 46,36 metros de eslora, 7,63 metros de manga y el puntal
es de 5,4 metros. El calado medio alcanza a 3,4 metros y posee un
desplazamiento de 550 toneladas.

El sistema de sus máquinas es el denominado "compound", alta
y baja presión con dos calderas multitubulares, con 475 HP, utilizando como combustible el carbón. El depósito carbonero tiene una capacidad de 97 toneladas.

La velocidad de la embarcación lograba estos topes: 11 nudos de
máxima y 6 nudos para el desplazamiento económico. Su radio de
acción totalizaba 1.500 millas marinas.

La única hélice es de bronce de dos patas, sistema Bobis, y cuando se navegaba a vela exclusivamente se la ponía "neutra" o en bandera. El armamento lo constituían cuatro cañones Vavasseur de 7 pulgadas, montados en cureña de hierro. Uno delante de la chimenea, en
crujía, otro detrás de ella, y uno en cada banda, hacia proa.

La tripulación ascendía generalmente a 14 oficiales y 100 tripulantes. El casco de hierro, totalmente forrado con madera de teca,
tenía 31 milímetros de espesor. Sobre él se instalaron planchas de
cinc en la obra viva. Está dotado de tres mamparos estancos y ar-

bolado como lugre en una típica construcción sloop-marinero.

Botada en Birkenhead en 1874, comenzaron las pruebas en el mar. Completada la tripulación con personal totalmente extranjero, fue traída al país bajo el comando del capitán mercante inglés D. Jaime A. Paulet, arribando al puerto de Buenos Aires el 8 de agosto de 1874.

Historia previa

Como debut en 1874, la "Uruguay" recorrió la costa sur, eligiendo lugares para instalar faros y balizas.

El 24 de setiembre, al estallar en la Armada la revolución mitrista, la cañonera "Uruguay" fue tomada, pero la tripulación leal al gobierno la retomó, frustrando los planes de los partidarios de Bartolomé Mitre.

La "Uruguay" constituía, junto con los vapores "Pampa", "Puerto de Buenos Aires" y "Don Gonzalo", la primera división que a las órdenes del capitán de navío D. Bartolomé Cordero salió a perseguir a los insurgentes. Cordero estaba a cargo directo de la "Uruguay".

Rendidos los amotinados y entregados los buques tomados en Montevideo, la corbeta volvió a su fondeadero del Riachuelo.

Era comandante antes y durante la revolución Federico Spurr, quien fue dado de baja por su actuación.

Al año siguiente continuó como buque balizador y durante su acción contra los jordanistas cañoneó las posiciones de artillería rebelde en la margen argentina del río Uruguay.

En 1876 realizó tareas de transporte de soldados, municiones y pertrechos, y en Concepción del Uruguay participó en la tercera campaña contra López Jordán.

Al año siguiente, la Escuela Naval se instaló a bordo de la "Uruguay". Navegó por el Río de la Plata y se formaron en su buque los cadetes que siguieron sus cursos náuticos. El 22 de diciembre, siempre con la Escuela Naval a bordo, zarpó desde el Riachuelo de la Boca hacia San José para proteger a los colonos galeses de Chubut del ataque de los indígenas del lugar.

En 1878, en noviembre, tras incorporarse a la expedición del comodoro Luis Py, la "Uruguay", con los cadetes a bordo, se unió a "Los Andes", la bombardera "Constitución" y otras embarcaciones menores para tomar posesión oficial de Santa Cruz, en la Patagonia. A renglón seguido, uno de sus botes encargados del suministro de agua desde tierra se dio vuelta, pereciendo cuatro de sus siete tripulantes. Fue la primera vez —fue el 9 de diciembre de ese 1878— que el pabellón de la "Uruguay" flameó a media asta.

Después que Chile resolvió dejar sin efecto sus intenciones de invadir Santa Cruz, la corbeta regresó y, ya en Buenos Aires, el 20 de enero de 1879, egresó de ese buque la primera promoción de la Escuela Naval Argentina.

Los años siguientes muestran a la "Uruguay" prestando numerosos servicios como balizador y haciendo reconocimientos. En 1880 efectuó tareas de apoyo al ejército llevando al vapor "Arturo" a remolque con el regimiento de cívicos de Córdoba; en 1881 realizó un viaje a Bahía Blanca transportando cien soldados del regimiento 1 de infantería de línea, y en noviembre salvó a la dotación de la barca francesa "Esperance", y posteriormente a la de la ballenera "Batista", ambas náufragas; en 1882, teniendo su fondeadero en el Tigre, zarpó para Santa Cruz para cooperar en las últimas luchas contra el indio, desarrollando posteriormente en esas latitudes permanente vigilancia en busca de contrabandistas.

Golfo Nuevo, Montevideo, apoyo a la investigación científica, viajes de adiestramiento, todo lo realizó de buena voluntad la corbeta en los años sucesivos. Era la embarcación adecuada para reparar un cable de comunicaciones en la isla de Martín García, para efectuar un viaje de buena voluntad a Montevideo o para vigilancia cuarentenaria cuando la fiebre amarilla hacía estragos en el Brasil.

En 1884, su casco y sus motores estaban agotados, y así cruzó el Atlántico para entrar en reparaciones en Liverpool, regresando el 19 de junio de 1885, renovada y más esbelta que nunca.

Naturalmente, el gobierno debió hacer importantes inversiones para poner la embarcación en condiciones y entonces —como siempre ocurre en todas las épocas— comenzaron las críticas por el gasto efectuado, que se consideraba "enorme" en relación con "el aparente poco valor militar de este buque".

El colmo de las críticas llegó al punto de que el Boletín del Centro Naval, en un artículo anónimo, lo califica: "un gasto enorme que raya en lo ridículo...".

Pero la "Uruguay" siguió trabajando y en 1887 llegó hasta el lugar del naufragio del transporte "Magallanes" en la Patagonia, y regresó a Buenos Aires con una multitud de tripulantes a salvo. Enseguida repitió la misión trayendo sanos y salvos a los náufragos de la barca "Cambalú", que se hundió en el medio del Río de la Plata.

La "Uruguay" siguió navegando. Marcó bancos de arena peligrosos, hizo relevamientos costeros, vigiló el territorio marítimo, efectuó trabajos hidrográficos para accesos a puertos, contribuyó a la diagramación de cartas náuticas precisas y, como ya era costumbre, salvó vidas en circunstancias de naufragios. En 1889, le prestó auxilio a la barca inglesa "Kaision" y en 1894, mientras colaboraba con la comisión de límites con Chile, sufrió un violento temporal que la obligó a subir a Buenos Aires para efectuar reparaciones. La tripulación solía decir: "La 'Uruguay' es un corcho y no se hunde".

Como si tratara de recuperarse físicamente, su tarea se ceñía a muchas misiones por el litoral argentino, pero pronto cruzó el Plata y fue a Montevideo, prosiguiendo contra cualquier tiempo y marea las tareas más difíciles.

Sin embargo, el fin de siglo la encontró olvidada en un fondeadero de la Dársena Sud. Nada hacía presumir la inminencia de la aventura que la sacaría de su ostracismo y la consagraría para siempre.

La gran aventura del "Antartic"

A comienzos de siglo, el continente Antártico aparecía como el confín misterioso e inexplorado del planeta. Sus características geográficas, geológicas y climáticas constituían un secreto insondable y codiciado por la ciencia universal. Se produjeron entonces los primeros intentos de las potencias europeas por revelar esa incógnita, y algunas expediciones se aventuraron por los mares australes. Entre ellas, la misión sueca encabezada por el famoso científico Otto Nordenskjöld se unió a las expediciones subpolares del belga Adrián de Gerlache, a las inglesas dirigidas por el noruego Carsten Borchgrevink y Roberto Falcón Scott, juntamente con la alemana de Von Drigalski. También la escocesa de Williams Bruce se había lanzado por los caminos abiertos en el Congreso Internacional de Geografía de Londres, realizado en 1895, y que había recomendado la intensificación de la exploración antártica por los océanos Índico, Pacífico y Atlántico. La cooperación de la Argentina resultaba importante para la exploración antártica por el Atlántico, y a esos efectos había instalado el Observatorio Magnético Meteorológico de las islas Año Nuevo, empresa llevada a cabo por el teniente de fragata Horacio Ballvé.

Era precisamente el marino Ballvé quien llevaba adelante las tratativas, cuando la expedición del doctor Otto Nordenskjöld recaló en el Puerto de Buenos Aires, en 1902. Su objetivo era explorar la región antártica para realizar estudios y observaciones magnéticos y meteorológicos y, fundamentalmente, establecer una estación de invierno.

El doctor Nordenskjöld era hijo del célebre explorador sueco descubridor del Paso del Noroeste. Como su padre, dedicaba su vida a la ciencia aventurera de la exploración. Ayudado económicamente por su gobierno (Suecia y Noruega han soñado siempre con la conquista del desierto helado), resolvió realizar un arriesgado viaje de exploración al Polo Sur, a bordo de una embarcación construida al efecto, el "Antartic", y acompañado por una tripulación acostumbrada a los hielos, bajo el comando del capitán Larsen, otro hábil explorador.

Las gestiones de Ballvé permitieron que se incorporara a la misión el joven alférez de navío José María Sobral, que se convirtió en el primer argentino en pisar suelo antártico.

Santiago Mauro Comerci, en su artículo "Antartic" publicado en la revista *Todo es historia*, señala respecto de su incorporación: "(...) cuando el doctor Nordenskjöld supo que la idea (del gobierno argentino) era que dicho oficial invernara en Antártida, vaciló en responder afirmativamente a la propuesta de las autoridades argentinas. Él conocía muy bien la vida en las regiones polares. Sabía de los días difíciles en que la depresión moral, el pesimismo y el tedio se apoderaban del ánimo del expedicionario tornando insufrible la presencia de sus propios compañeros. En tales circunstancias, ¿cómo se comportaría un hombre sin experiencia en esa vida? ¿Qué problemas ocasionaría a los demás? Para colmo de males se trataba de un individuo completamente extraño al grupo que debía integrar. Tales pensamientos ocupaban la mente del jefe de la expedición, cuando en la mañana del 17 de diciembre se le presentó el joven alférez José María Sobral, designado para dicha misión. Tras la presentación comenzó el diálogo, y muy poco tiempo necesitó el sabio sueco para conocer la personalidad del joven Sobral. 'Me pareció tan sencillo —confesará un día Nordenskjöld—, tan simpático, tan entusiasta y tan valiente que, dejando de lado todas mis vacilaciones, me decidí a admitirlo definitivamente' ".

Una vez terminados los preparativos, el comandante del "Antartic", capitán Larsen, dejó en Buenos Aires una guía del itinerario previsto por la expedición, y encomendó a las autoridades argentinas la misión de organizar una caravana de auxilio en el caso de que no hubieran regresado a principios del otoño de 1903.

La nave sueca dejó atrás las costas bonaerenses y un mes más tarde navegaba por el estrecho que separa la península Trinidad —en el extremo nordeste de la Tierra de Graham— de la isla de Joinville. Poco después, seis hombres de su tripulación desembarcaron en la isla Snow Hill y establecieron una base para invernar. En el grupo estaban el propio doctor Nordenskjöld y el alférez Sobral. El "Antartic" continuó entonces su viaje rumbo a la zona de los golfos Erebus y Terror.

Seis meses después, cuando terminado el invierno la nave intentó rescatar a los moradores de Snow Hill, sólo logró quedar atrapada entre los hielos. Sin perder la calma, el capitán Larsen ordenó a dos de sus hombres que intentaran llegar por tierra (es decir, utilizando trineos para surcar mar congelado); pero éstos tampoco pudieron abandonar su precario refugio en la isla Paulet.*

Sin embargo, el verdadero drama comenzó en febrero de 1903, cuando el navío sueco intentó, por segunda vez, socorrer a Nordenskjöld. En esa oportunidad, la presión de los hielos fue tal que el "Antartic" se fue a pique. A pesar de que la tripulación consiguió salvarse íntegramente a excepción de un joven marinero, muerto de un paro cardíaco, la situación era desesperada. Abandonados y aislados entre sí, los dos grupos de expedicionarios sólo podían confiar ahora en la ayuda que se les prestaría desde Buenos Aires, al vencer el plazo otorgado por el capitán Larsen. Pero, ¿qué garantías había de que fueran encontrados en esa inmensidad y de que el barco de socorro no corriera igual suerte?

El salvamento

Mientras tanto, en Buenos Aires, al irse abril sin noticias de la expedición, el ministro de Marina, Onofre Betbeder, tomó la iniciativa y comenzaron los preparativos del rescate. Simultáneamente, los gobiernos de Suecia y Noruega decidieron organizar una misión de auxilio y la opinión pública mundial se elevó, clamando por la suerte de los desdichados viajeros.

En una desesperada carrera contra el tiempo, se reacondicionó la corbeta "Uruguay", reforzándole las cuadernas y cambiándole la máquina y la arboladura. Finalmente, tras meses de ardua labor, sus depósitos fueron aprovisionados con víveres suficientes para dos años de travesía.

El 8 de octubre de 1903, bajo el mando del teniente de navío Julián Irízar, uno de los oficiales sobrevivientes de la "Rosales", la "Uruguay" partió por fin rumbo al continente blanco. Su primera escala fue la isla de Observatorio, donde arribó el día 16, después de capear fuertes temporales. Allí se embarcó instrumental magnético del que se hizo cargo el alférez Fliess. Prosiguió la navegación por el canal de Beagle y el 21 fondeó en Ushuaia; se cargaron 47 toneladas de carbón y otros aprovisionamientos y se resolvió esperar el posible arribo de las expediciones de auxilio europeas, a fin de coordinar la campaña. Mas el plazo no podía dilatarse, pues si bien los meses favorables para la navegación en los mares australes son enero y febrero, era obvia la urgencia. En noviembre se inician ya los deshielos, los packs están en plena descomposición y se derriten los ventisqueros, y en diciembre tales fenómenos están en su apogeo. Al pasar los días y no tenerse noticias del "Frithjol" ni de "La Française", Irízar decidió partir y lo hizo el 1º de noviembre, despedido por el "Azopardo". En esa fecha se inició una etapa de angustiosa expectativa mundial, pues se sabe que no hubo noticias por muchos días.

En su diario de viaje, el comandante Irízar escribió: "Gira el cabrestante, sube la cadena con su clásico golpeteo de hierros. Ya está el ancla arriba, la popa queda hacia allá, hacia la bahía, hacia la población de Ushuaia, último vestigio de civilización. El monte Olivia entre las nubes se va perdiendo, la nave empieza a surcar el canal de Beagle. Paso Mackinley, isla Gable van quedando atrás. Luego de unas horas de navegación con la isla Picton a estribor, ponemos proa al sur. Las tierras se alejan, se hacen difusas. (...) Siempre a estribor, el cabo de Hornos se va confundiendo con el cielo y el mar. De allí en adelante pocas veces volveríamos a ver el sol".

A los 30 días de su partida de Buenos Aires y ocho después de levar anclas en Ushuaia, la "Uruguay" tomó contacto con Nordenskjöld. Es de imaginar la incrédula sorpresa y la alegría desmesurada de los rescatados, prácticamente resignados a morir de inanición. Pero más grande aún sería la sorpresa cuando, ya prestos a embarcarse en la corbeta "Uruguay", Nordenskjöld y sus hombres vieron aproximarse en el paisaje nevado al capitán Larsen, al doctor Anderson y a un grupo de marineros. Después de casi dos años de espera, y cuando ya se los daba por perdidos junto al "Antartic", llegaron el mismo día que la corbeta argentina, como si hubiesen planeado regresar puntuales para el rescate.

El comandante Irízar escribió entonces en su diario: "Inmediatamente resolví trasladarme a la estación de invierno de Snow Hill, distante de donde estábamos 17 millas, y después de haber mandado instrucciones al segundo comandante (teniente de fragata Ricardo Hermelo) para que se aguantara convenientemente con el buque, seguí a pie con el teniente Yalour (era el oficial de derrota), el doctor Bodman (uno de los náufragos rescatados) y el cocinero de la estación de invierno, que eran los que encontramos en la carpa. Después de siete horas de marcha llegamos a aquélla, de la que salieron el doctor Nordenskjöld, el teniente Sobral y los demás miembros de la comisión invernadora. El día 10 embarqué al doctor Nordenskjöld, al capitán Larsen, al alférez Sobral y demás compañeros y zarpé para la isla Paulet, donde tomé el 11 al resto de la tripulación del 'Antartic' ".

La tripulación que había quedado en la isla Paulet, a la espera de que Larsen solicitara auxilio, dormía en una carpa cuando escuchó las sirenas de la "Uruguay" como si fueran parte de un sueño. Los náufragos, que habían evitado estoicamente caer en la desesperación a pesar de las pésimas condiciones de supervivencia y de una dieta pobre compuesta de focas, apenas podían creer que la llamada fuese real. El doctor Charles Scottberg recordaría más tarde el encuentro: "Todos los días íbamos a la cumbre de nuestra isla para ver si podíamos descubrir el buque libertador. Imposible poder describir nuestra alegría cuando la corbeta 'Uruguay', el 11 de noviembre a las cuatro de la mañana, nos despertaba con su silbato".

No satisfechos con lo logrado, los argentinos se avinieron también a recuperar los valiosos cajones de fósiles abandonados por los expedicionarios en la Bahía Esperanza.

El operativo no podía haber resultado más exitoso; sin embargo, el regreso deparó a la extenuada tripulación nuevas visicitudes: un temporal de inusitada violencia estuvo a punto de hundir a la frágil embarcación, que milagrosamente arribó al puerto de Santa Cruz sin su palo mayor y con el velamen maltrecho. Desde allí, el telégrafo difundió la noticia que alivió al mundo entero y llenó de prestigio a la Marina argentina. Buenos Aires recibió luego a la corbeta, mutilada pero airosa, entre el clamor de las sirenas y una escolta de treinta embarcaciones.

¿Qué se hizo de la corbeta "Uruguay"?

Retirada de servicio en 1926, la corbeta "Uruguay" comenzó a transitar una silenciosa, casi olvidada, vejez en la base naval de Río Santiago. Allí fue convertida en polvorín flotante, para lo cual se le cortaron los palos. Hasta 1954, cuando se resolvió rehabilitarla, parecía que nadie se acordaba de ella. Recién entonces, gracias a los capitanes Leonardo Maloberti e Isaac Rojas, se inició su primera reconstrucción, que terminó en abril de 1955. En octubre de ese año, por decreto, la corbeta fue declarada simbólicamente en actividad y se determinó que su tripulación fuera compuesta por los cadetes de mejores aptitudes. Después de participar en algunos actos oficiales, volvió a Río Santiago, donde nuevamente fue amarrada en el muelle de la Escuela Naval. En 1960 realizó su último viaje; el ex alférez Sobral cumplía 80 años y la corbeta, como gran homenaje, lo llevó a La Plata, donde hombre y nave fueron objeto de diversos agasajos. Pero no mucho después un jefe naval intentó desarmarla, ante lo cual un grupo de gente encabezado por el capitán Laurio Destefani (luego historiador de la Armada y autor de un libro sobre Sobral), que la tenía a su cargo en el segundo batallón, inició gestiones ante la Comisión Nacional de Monumentos y lugares históricos a los efectos de evitarlo. Así, el 6 de junio de 1967 se la declaró, por decreto, Monumento Histórico Nacional. Entre 1968 y 1969 continuó en Río Santiago conservada con altibajos y en 1970 se la trasladó a Buenos Aires para comenzar a hacerle un mantenimiento acorde con sus hazañas. En 1972 se comenzó su reconstrucción definitiva, aunque lentamente, hasta que a principios de 1974 se logró terminarla. Ese año fue emplazada en Dársena Norte, donde se la fondeó junto a una no menos célebre exponente de la historia marítima argentina: la fragata "Sarmiento". Allí permanece hasta el día de hoy.

Lo que más llama la atención al recorrerla es el reducido tamaño, la simpleza del buque y los pocos elementos técnicos —obviamente precarios— con que se contaba a bordo para la navegación. Parece imposible que una unidad de su calado y de tanta sencillez haya logrado vencer los hielos antárticos tantas veces (fue el navío que más campañas antárticas realizó en su época), soportado vientos de 27 metros por segundo y otras penurias, y se haya mantenido aún a flor de agua.

Ahora la cubierta reluciente muestra sus bronces y maderas barnizadas. Pueden visitarse los dormitorios, los baños, el comedor y demás dependencias, diseñados a la elegante moda de hace más de 120 años. Verla es realizar un pequeño viaje atrás en el túnel del tiempo.

Las memorias de José María Sobral

La expedición antártica cambiaría definitivamente la vida profesional del joven Sobral, no sólo por haberse convertido insospechadamente en un heroico marino, sino por los conocimientos que durante los dos años de exploración le fue transmitiendo el doctor Nordenskjöld. A su regreso, abandonó la carrera de marino y cursó la de geología en la Universidad de Buenos Aires. Recibido de licenciado y doctor en la disciplina, prosiguió sus estudios en universidades extranjeras.

Aun así, recién llegado de la expedición, Sobral tuvo tiempo de escribir un libro sobre su experiencia, *Dos años entre los hielos*, editado en 1904. Los que siguen son algunos de sus párrafos:

"Éramos muy pocos en número para hacer vida en común durante tan largo tiempo. Lo peor de todo era tal vez que no estábamos preparados en modo alguno para semejante eventualidad. (...) Cuando se confirmaron nuestros rumores de un invierno prolongado, sentimos completa desconfianza por el porvenir." (Invierno de 1902)

"Hoy es el día de los míos, Dios quiera que lo festejen con paz y felicidad. El sol de mayo se levanta hacia el NW como una bola de fuego brillando a través de la nieve, volada por el viento. Tenía intención de saludarlo con una salva de 21 tiros, pero pensé que esas balas las podría aprovechar de una manera más práctica, cazando focas o pájaros que necesitamos." (25 de mayo de 1903)

"En estos meses, mi diario no se ocupa nada más que de cuestiones meteorológicas; yo hacía un esfuerzo por encontrar algo nuevo que escribir, pero siempre mirando las mismas caras, siempre haciendo lo mismo, las mismas comidas, las mismas ocupaciones, el ventisquero de siempre, como una enorme costra de mármol blanco... y la silueta curiosa de Cockburn, dibujándose allá al nordeste, rumbo al cual se dirigían nuestros ojos porque allá desapareció el 'Antartic', y por el mismo punto lo debíamos volver a ver." (Invierno de 1903)

"El 12 es el cumpleaños de Ekelof y, como de costumbre, se festejaba con un espléndido banquete. Nuestro menú fue como sigue: fiambres (pingüino seco), lenguas de oveja al natural, hígado, sopa, conserva de carne y bife de foca con porotos." (12 de setiembre de 1903)

"Fue un momento indescriptible, indefinible, yo lo he sentido pero no lo puedo referir; lo que puedo decir es que en esos momentos me sentí orgulloso de mi patria, de ser compañeros de esos que hasta allí fueron con la 'Uruguay' y si de mis labios no salió el hurra jamás oído por los hielos ni por los hombres, fue porque comprendí que lo que para mí era motivo de inmenso regocijo, para otros naturalmente implicaba mucho menos... porque poniéndome en el caso de ellos, es decir, de una expedición argentina salvada por una sueca, y que un sueco formara parte de la primera, tengo la seguridad de que mis sentimientos no serían como los del sueco." (Reflexión sobre el momento en que Sobral divisó la corbeta "Uruguay" en la Antártida)

"Mis entusiasmos no han disminuido en nada; hoy mismo volvería a salir con rumbo al sur, consideraría un alto honor y se cumpliría uno de mis más ardientes deseos, si se me diera participación en una expedición de ese género." (De Sobral, ya en Buenos Aires, una vez terminada la expedición)

En abril de 1965 el ejército argentino inaugura en el sector antártico la base Sobral en honor del alférez José M. Sobral (1880-1961). Está situada a los 81° 4' 10" de latitud sur y a los 40° 36' 20" de longitud oeste. También es estación meteorológica.

"TITANIC"
El barco maldito

Festejos de fin de año de 1911. La burguesía europea quemaba los últimos cartuchos de la *belle époque*, mientras los gobiernos cerraban sus balances indicando la cantidad de armamento producido en los últimos seis meses. En los cuarteles la instrucción militar continuaba intensificándose, a pesar del crudo invierno. En Londres, en las oficinas de la empresa naviera White Star el personal jerárquico brindaba por el gran acontecimiento del año que en pocas horas se iniciaría, y que significaría un salto capital para la empresa. Alrededor de una gran mesa ya se barajaba la fecha en que el transatlántico más grande de la historia haría su viaje inaugural.

Las dos y dieciséis de la madrugada del lunes 15 de abril de 1912. Último minuto del "Titanic". El pecado final cometido por la ingeniería naviera fue a lavarse a las heladas aguas del Atlántico Norte. Moría el fruto de la soberbia del hombre del siglo XX, signado por la maldición del progreso.

Para muchos, un compendio de mala suerte, mal momento y mala navegación, y cuyo resultado sería la danza mortal del "Titanic" con un iceberg, al compás de una orquesta de lujo que tocó hasta que las olas la silenciaron, mientras la primera crónica comenzaba a gestarse.

Una crónica debería comenzar mencionando una serie de presentimientos, de señales que no eran de navegación, pero que indicaban que la majestuosa nave nunca debería haber zarpado.

Durante las maniobras para abandonar el puerto de Southampton, punto de partida del primer y último viaje del "Titanic", en Inglaterra, el buque estuvo a pocos metros de chocar contra otro crucero, el "New York", que recibió como un diluvio la estela del gigantesco barco. Primer aviso. El segundo ocurrió en Queenstown, Irlanda. Allí algunos pasajeros vislumbraron la figura ennegrecida de un bombero apareciendo por una de las chimeneas del transatlántico. Al rato, un fogonero abandonó el buque, aterrado por una súbita premonición.

Pero lo que más puso en alerta a la oficialidad acerca de que algo malo podía ocurrir fue el hecho de que el capitán Edward John Smith advirtiera que había perdido sus largavistas. Su primer oficial, Henry Wilde, susurró: "Tengo un presentimiento extraño".

Entre los pasajeros había uno que tenía especial temor de hacer ese viaje. Sin embargo, no dejaba de considerar la travesía como un desafío muy especial, y una prueba ideal para vencer sus tendencias supersticiosas, en una época en que el racionalismo imperante las hacía ver como algo despreciable. Se trataba del periodista W. T. Stead, editor y director de la revista londinense *Review of Reviews*.

Stead estaba convencido de que algún día moriría en el mar y solía escribir relatos protagonizados por náufragos, uno de los cuales, "Del viejo al nuevo mundo", publicado veinte años antes del accidente, narraba la travesía intercontinental de un buque que se hundía al chocar con un témpano. El periodista estaba doblemente convencido de que algo así iría a sucederle un día, ya que un famoso vidente de la época, Count Lous Hamon, más conocido con el seudónimo de "Cheiro", le sugirió en 1911 que evitara los viajes en abril del año siguiente.

Los malos presagios, sin embargo, no se limitaban al presentimiento de unos pocos. La concepción misma del "Titanic" está signada por una ironía macabra. En 1898, el novelista Morgan Robertson relataba, en *El naufragio del Titán*, el viaje inaugural de un enorme barco de las características del "Titanic" —cabe anotar la similitud del nombre— que se hundía al chocar contra un témpano, en la medianoche de un día de abril.

Las coincidencias no se agotaban ahí. El "Titán" de la novela tenía una longitud de 260 metros, estaba dotado de tres hélices y desarrollaba una velocidad de 24 a 25 nudos. El "Titanic" medía 267 metros y prácticamente viajaba a la misma velocidad que su par ficticio. Además ambos podían llevar 3.000 pasajeros, tenían botes salvavidas para unos pocos y eran considerados insumergibles.

Sin embargo, el "Titanic" zarpó, desoyendo los consejos de la providencia.

Paradójicamente, el capitán Smith, al ver el barco por primera vez, había dicho: "Ni Dios lo hunde".

Bienvenidos a bordo

Once y cuarenta de la mañana primaveral del 10 de abril de 1912. El "Titanic" comenzaba su viaje inaugural en el puerto de Southampton. Debía cubrir la ruta Gran Bretaña-Nueva York, con breves escalas intermedias. Al subir los pasajeros más ilustres, el capitán Smith se acercaba a ellos para darles el clásico "bienvenidos a bordo". El viejo hombre de mar inglés, que tenía dos millones de millas náuticas en su haber, estaba a punto de jubilarse. Ése debía ser su último viaje. Para él era un honor guiar el timón del barco más grande de la historia.

El que se suponía el transatlántico más seguro de todos los tiempos era el orgullo y buque insignia de la compañía naviera inglesa White Star. Como gran novedad tecnológica, el barco incluía un doble fondo por debajo de la línea de flotación y 16 cámaras que podían ser aisladas con puertas herméticas, de ocurrir un accidente. En el peor de los casos, el de un choque contra otro crucero, se podían inundar hasta dos de esas cámaras sin que el buque sufriera mella.

Con sus 46.328 toneladas, el "Titanic", construido en los astilleros Harland and Wolff de Belfast a instancias del banquero estadounidense J. P. Morgan, y botado el 31 de mayo de 1911, parecía imbatible.

Y casi lo había demostrado en un viaje de prueba realizado el 1° de abril de 1912, catorce días antes de la tragedia. En esa oportunidad, el "Titanic" había zarpado del puerto de Belfast.

El costo de construcción fue de siete millones y medio de dólares. Una fortuna incalculable para comienzos de siglo.

Un aviso de los jabones Vinolia, que se usaban en la nave, rezaba: "Es el más grande del mundo, y no sólo en tamaño sino en lujo".

No solamente era un barco construido con los mayores adelantos de la tecnología de su época, sino que objetivamente era el más grande del mundo. Impulsado por tres hélices gigantescas (dos gemelas de siete metros de diámetro y la tercera de cinco metros) y dos motores de vapor nutridos por veintinueve calderas, el transatlántico más lujoso que cruzara los mares medía 267 metros de eslora y 57 metros de altura, por lo que podía considerarse tan alto como un edificio de once pisos de aquellos años. Visto en posición vertical, el "Titanic" era más alto que cualquier edificio de su época.

Esto explica la escasez de botes salvavidas para los más de 2.400 pasajeros y tripulantes. Apenas había dieciséis botes de madera y cuatro inflables.

Luego de producido el desastre se dijo que la compañía había hecho sacar de cubierta la mayoría de los botes para no afear la imagen del barco en el momento de zarpar la nave. El "Titanic", como un gran divo del cine mudo, debía estar perfecto para las fotos.

A bordo las instalaciones no tenían nada que envidiarle a ese exterior excesivamente maquillado. Había baños turcos, gimnasios y un restaurante francés, con mozos de esa nacionalidad, el Café Parisien. El restaurante para pasajeros de primera y segunda clase tenía pisos revestidos en linóleo, el material que era la última moda en la década de 1910.

En la bodega se apilaban cajas con 35.000 huevos frescos, 1.000 botellas de vino, 15.000 de cerveza, 12.000 de agua mineral, 21.000 platos hondos y playos, 5.000 cubiertos, 26.000 piezas de platería, 25.000 piezas de porcelana china, 45.000 servilletas, 15.000 copas de champán y 40.000 toallas de tamaños diversos. Allí también se conservaban en hielo 33.750 kilos de carne fresca, 7.000 litros de leche, 300 litros de crema y 11.250 kilos de verdura. El barco llevaba además, para consumo de los pasajeros y de la tripulación, 4.500 kilos de cereales, 250 barriles de harina, 460 kilos de té, 40.000 de papas y 5.000 de azúcar.

Siete de la tarde del 10 de abril. El "Titanic" recala en el puerto de Cherburgo, Francia, de donde zarpa a las nueve de la noche con 102 pasajeros nuevos.

Doce y media del mediodía del 11 de abril. Suben 113 pasajeros en Queenstown, Irlanda. Desde allí, el capitán Smith ordena seguir a toda máquina con rumbo a Nueva York.

Velada en las rocas

Noche del 14 de abril. El "Titanic" avanza por las heladas aguas que bañan las costas americanas, a una velocidad de 23 nudos, que equivalen a unos 42 kilómetros por hora. A bordo hay fiesta y la tripulación considera un detalle nimio el paso de los bloques de hielo que la corriente marina del Labrador arrastra hacia el sur, algo común para esa época en el Atlántico Norte. Ya había comenzado la primavera boreal, pero esa región del mar está tan cerca del Polo que la temperatura era de varios grados bajo cero.

La mayoría de los pasajeros se retiró a los camarotes, pero los trasnochadores decidieron aprovechar las fiestas, la diversión en los salones o las charlas en el café. Los sillones fumador de primera clase eran los favoritos de los hombres de negocios, mientras que los jóvenes preferían las diversiones del Café Parisien, situado debajo de la cubierta B.

En el comedor principal, donde se desarrollaba la fiesta, más de quinientas personas vestidas de etiqueta bebían champán y bailaban. Otras jugaban al póker o al bridge en los salones contiguos o conversaban en algunos de los tres bares. En tanto, para los pasajeros de tercera clase, la diversión consistía en bailes populares que se realizaban en las cubiertas inferiores.

El "Titanic" transportaba a 350 viajeros de primera clase, que habían pagado 4.350 dólares u 870 libras por pasaje, una cifra que en términos actuales equivaldría a alrededor de 50.000 dólares; 305 pasajeros en segunda, y cerca de 800 en tercera, que pagaron dos libras por su boleto de ida, a los que hay que sumar más de 900 tripulantes. Además, en medio del Atlántico fueron descubiertos a bordo seis polizones chinos.

Entre los pasajeros ilustres estaban el playboy estadounidense Benjamin Guggenheim; el empresario Isidor Straus con su esposa, Ida, dueños de la tienda más famosa de Nueva York, Macy's; el pintor francés Francis Millet; el escritor Jacques Futrelle; el periodista W. T. Stead y el millonario John Jacob Astor IV con su perrita Kitty. Pero el personaje más mentado era una nueva rica llamada Molly Brown, que no quiso perderse el maravilloso viaje inaugural del "Titanic".

El capitán Edward J. Smith estaba realmente convencido de que nada podía hundir su majestuoso barco, a pesar de las señales premonitorias que habían trascendido. Tanto que cuando llegaron hasta la oficina del telegrafista las advertencias de que grandes bloques de hielo estaban a la deriva en esa zona, Smith ni siquiera las leyó. Pidió que no lo molestaran y un buen rato antes de la medianoche se fue a dormir. Incluso se negó a que disminuyeran la velocidad, ya que intentaba batir el récord del cruce entre Inglaterra y Nueva York, y obtener la Cinta Azul que sólo lucían los grandes capitanes. Smith tenía 62 años y quería dejar su puesto con honores.

Hasta ese momento, la Cinta Azul, que se otorgaba a los buques que alcanzaban velocidades récord, estaba en manos del capitán del

"Mauritania", buque gemelo del "Lusitania", perteneciente a la flota de una empresa rival, la Cunard Line.

Sin embargo, no existen evidencias de que la White Star le haya ordenado a Smith que rompiera el récord de velocidad.

Cerca de las once de la noche, un témpano que se elevaba a 30 metros sobre el nivel del mar, pero cuya masa mayor se hundía a más de 60 metros de profundidad, flotaba en la noche como una boya blanca y monstruosa. Era un iceberg de unas 300.000 toneladas. El "Titanic" estaba muy cerca de él. El piloto del "Californian", un buque relativamente pequeño, que navegaba en la misma zona por la que pasaba el renombrado transatlántico, vio el iceberg, redujo la velocidad a tres nudos y tuvo la cortesía de avisar por telégrafo al capitán Smith. El marino del barco pequeño creyó sin embargo que el mando del buque inglés ya estaría alerta.

El capitán Smith se enojó con el marinero que lo había despertado y volvió a rechazar el aviso. Insistía en batir el récord de velocidad.

Investigaciones posteriores determinaron que si Edward J. Smith hubiera ordenado reducir la marcha del "Titanic" a la mitad, el barco se habría salvado del naufragio.

Hasta el momento, los avisos de presencia de témpanos, a través del telégrafo, sumaban catorce.

Uno de ellos había sido enviado por el "Baltic", el mediodía del domingo 14. El mensaje decía así: "Hemos tenido vientos variados moderados y un tiempo claro y bueno desde que salimos. El barco griego 'Athinsi' informa de icebergs y gran cantidad de hielo hoy". Una hora más tarde, el capitán Smith les contestó a los del "Baltic": "Gracias por su mensaje y los mejores deseos. Hemos tenido buen tiempo desde que salimos".

Noche sin luna

Once y cuarenta de la noche sin luna. El iceberg letal es avistado por uno de los seis vigías del "Titanic", Frederick Fleet. El tripulante toca tres veces la campana y llama al puente de mando, pero como el primer oficial William Murphy tenía orden de no disminuir la velocidad, apenas puede atinar a esquivarlo, y el "Titanic" lo roza con el casco. La velocidad del barco, en ese momento, es de 22 nudos. Transcurrieron solamente 37 segundos entre el aviso del vigía y el choque del buque con el témpano.

100

El impacto se produjo a 50 grados 16 minutos al oeste del meridiano de Greenwich y 41 grados 46 minutos de latitud norte.

El capitán Smith recién tomaba conciencia de lo que estaba ocurriendo. El barco acababa de chocar contra el témpano. Una trepidación sorda sacudió la estructura y seis compartimientos comenzaron a inundarse.

Doce y cinco, pasada la medianoche. La presión del agua a la altura del casco donde se produjo el roce con el iceberg es de siete toneladas de agua por segundo. El "Titanic" hace agua por la proa. Una curiosidad: la tripulación se preocupa por las bolsas de correspondencia que empiezan a flotar por la bodega. Pero lo más importante es que el agua ya se cuela en los depósitos de carbón.

Algunos pasajeros que sobrevivieron al desastre, sin embargo, testimoniaron que no oyeron ruido de ningún tipo en el momento del choque del transatlántico con el iceberg. Nada que pudiera sugerir un peligro inminente. Entre estos testimonios se encuentra el de la pasajera Elizabeth Shutes. Desde luego que ésa había sido la situación de los que viajaban en primera clase, ya que los desafortunados inmigrantes que lo hacían en tercera tuvieron una cierta noción de la tragedia que se avecinaba desde el comienzo, dado que el choque se produjo a la altura de su sector de camarotes.

Otra pasajera, lady Cosmo Duff Gordon, sintió como si alguien hubiera pasado un dedo gigantesco por el costado del buque, y la señora Caldwell imaginó un enorme perro sacudiendo a un gatito con la boca.

Edith Brown Haisman, que en el momento del naufragio tenía nueve años, recuerda que a bordo del "Titanic" no se había vivido una sensación de emergencia cuando se produjo el choque. Señala que el accidente ocurrió veinte minutos antes de la medianoche y que todo el mundo decía que el barco no podía hundirse.

Muchos, sin embargo, se toparon con la realidad. George Harder y su esposa, que viajaban de luna de miel, saltaron de la cama y vieron por la ventanilla del camarote una enorme pared de hielo.

Algo peor le ocurrió al agente de bolsa James McGough, en cuya habitación entraron pedazos del témpano. Al menos eso contó.

Lo que nadie sabía en ese momento era que el "Titanic" estaba herido de muerte.

En tanto, en uno de los salones de primera clase, un jugador de póker alzaba la vista en el momento en que se corrían rumores de que el barco había tenido un inconveniente con un témpano. "Corran a la cubierta y vean si encuentran un trozo de hielo para esto", dijo mientras sonreía al señalar el vaso de whisky. La orquesta seguía tocando como si nada extraño ocurriese. Nadie imaginaba, entre los adinerados pasajeros del sector exclusivo, que el agua se estaba colando a raudales por las fisuras que había sufrido el casco.

Durante años se había creído que lo que hundió al "Titanic" fue una larga rotura en el casco, pero en realidad se trató de seis fisuras. De haber sido cierta la teoría de la rotura única, el barco se hubiera hundido en cuestión de minutos.

Pasada la medianoche, el agua parecía haberse hecho dueña de la totalidad de la embarcación. Ni siquiera en ese momento el capitán Edward John Smith creyó que su buque fuera a hundirse.

Sin embargo, uno de los constructores del buque informó entonces a Smith que el barco no flotaría más de dos horas y que la evacuación de pasajeros debía comenzar de inmediato. Nuevamente algo curioso. Los ingenieros que diseñaron el "Titanic" creían, en Gran Bretaña, que en caso de naufragar, la embarcación tardaría tres días en hundirse. Finalmente el "Titanic" tardó menos de tres horas en irse a pique.

Doce y cuarenta de la noche, en el reloj del puente de mando. La proa comienza a inclinarse. Recién entonces el capitán dispone que se arrojen bengalas y que el telegrafista radie el pedido de auxilio. Se baja el primer bote salvavidas, que lleva el número siete, con menos de la capacidad completa, y se disparan las primeras bengalas de emergencia. Veinticinco mil toneladas de agua ya han entrado en el "Titanic" y el buque se está hundiendo por la proa. El oficial de radio, John Philips, comenzó a utilizar el pedido de auxilio tradicional, el CQD, hasta que la desesperación lo llevó a tener una idea mejor: usar una nueva señal que cualquier telegrafista aficionado pudiera captar. De esa manera fue enviado el primer SOS de la historia.

¿Es cierto que después de hacer que el telegrafista pida auxilio, el capitán Smith ordenó que se cerraran herméticamente las salidas de los pasajeros de tercera clase? Este dato es controversial. Lo cierto es que el marino sabía que los botes salvavidas sólo tenían capacidad para 1.500 personas.

La historia negra es rebatida por documentos oficiales, que detallan que sobre un total de 1.343 pasajeros y 885 miembros de la tripulación a bordo del "Titanic", sólo se salvaron 705 personas después del fatal impacto de la nave contra un témpano cerca de las costas de Terranova. Según los archivos londinenses, en las operaciones de salvamento se dio prioridad absoluta a mujeres y niños.

Durante la fatal travesía, la primera clase tenía 173 pasajeros hombres, de los cuales se ahogó el 66 por ciento. Se salvaron, en cambio, 97 mujeres sobre cien, y todos los niños, que eran solamente cinco. Por su parte, en la segunda clase, sobrevivió sólo el 8 por ciento de los hombres, frente al 84 por ciento de las mujeres y todos los niños, que eran 24 en total. En la tercera clase las cifras fueron peores. Murió el 88 por ciento de los hombres, el 45 por ciento de las mujeres y el 70 por ciento de los niños, pero según testimonios oficiales, esto se debió a que los que habían pagado pasajes más económicos estaban en los puentes inferiores, muy lejos de los botes, y por lo tanto habrían sufrido mayores dificultades logísticas.

El hecho de que el capitán haya cerrado o no las salidas de la tercera clase no niega la realidad de que los pasajeros de menores recursos fueron los más golpeados por la tragedia. De todos modos, la responsabilidad de Smith ha sido tan grande en el hundimiento del "Titanic", por no haber reducido la velocidad del barco, que una leyenda negra de este tipo solamente resultaría el broche de oro a la falta de humanidad.

El número exacto de pasajeros y la clase en la que se habían embarcado oscila según las fuentes. En el caso del "Titanic" resulta evidente el interés de la compañía White Star por ocultar el número de víctimas y de la prensa por aumentarlo.

Volviendo a la actitud del capitán Edward J. Smith, lo único que puede asegurarse con certeza es que en aquellos momentos ordenó que la orquesta siguiera tocando. La historia es cruel incluso en estos detalles.

Pero hay otros relatos de sobrevivientes, y más que nada de la prensa de aquellos años, que pueden pintar de manera fantasiosa la actitud del capitán. Hay quienes cuentan que Smith decía a la tripulación: "¡Sean británicos, muchachos, sean británicos!". O quienes contaron que el máximo oficial de la nave había nadado hasta un bote con un bebé en brazos para luego volver a hundirse con su barco.

Para muchos pasajeros, sobre todo para la mayoría de las mujeres y los niños, los que siguieron fueron los últimos minutos de despedida de sus seres queridos que quedarían a bordo del "Titanic" para siempre. Edith Brown Haisman, una nena de nueve años y uno de los pocos testigos que sobreviviría hasta finales del siglo XX, recuerda la imagen final de su padre. Él estaba de pie en la cubierta, fumando un cigarro y sonriéndoles a ella y a su madre. "Las veré en

Nueva York", les dijo con toda confianza, antes de que ellas abordaran el bote que les correspondía, el número catorce.

Edith recién se dio cuenta de la situación que estaba viviendo cuando el bote bajó al océano, con tres grados bajo cero de temperatura ambiente, y vio hasta qué punto se había hundido ya el transatlántico.

Acurrucándose contra el frío, sin decir nada, Edith y su madre fueron viendo, con el correr de los minutos, mientras la banda tocaba un himno a bordo del "Titanic", cómo las luces se extinguían. Y luego el rugido atronador que acompañaba la catástrofe de los objetos. Todo lo que estaba arriba del barco parecía salirse de su lugar: pianos de concierto, camas de bronce y las 29 enormes calderas que alimentaban el buque se precipitaron junto con la popa, con el señor Haisman, y con las 1.500 personas que habían quedado atrapadas. Eso sería el final.

En tanto, desde otro bote, la millonaria nacida en la más extrema de las pobrezas, Molly Brown, compartía la visión aterradora, desde el bote número seis. Al llegar a la costa norteamericana se convertiría en una suerte de heroína nacional.

A la 1.20 quedaban ya pocos botes salvavidas y aún había cerca de 2.000 personas a bordo. El pánico había ganado las cubiertas.

Todavía se envían señales de emergencia. "Nos hundimos rápido", dice el desesperado mensaje. En ese momento se inunda la sala de calderas número cuatro. Ya habían entrado 31.000 toneladas de agua en el casco.

Una y cuarenta de la noche sólo guiada por las estrellas. El agua comienza a entrar en la sala de calderas número cinco. El barco, que por su largo podría ser comparado con dos aviones jumbo actuales, se hunde de proa. La popa se levanta. Se producen rajaduras en la sección central. El capitán Smith comienza a decidir de qué manera poner fin a su vida.

Acero de juguete

Dos de la mañana. Treinta y nueve mil toneladas de agua inundan el buque más imponente de todos los tiempos. La proa ya está sumergida bajo el agua y la tensión en la sección media hace que el barco se doble. Las placas de acero se comprimen por la presión y el casco se despedaza.

Según pruebas recabadas en 1986 por una de las expediciones realizadas por el científico Robert Ballard, exitoso explorador del fondo del mar, las planchas de acero próximas a la línea de flotación aparecían dobladas en "V" y separadas de las que las sujetaban. Ballard descendió varias veces hasta el fondo donde descansan los restos del "Titanic", a bordo de un submarino de bolsillo, dotado de un robot con cámaras fotográficas y de video, guiado por un cable.

"La abertura que encontramos en el casco dejó suficiente espacio para permitir la entrada de agua. El verdadero daño parece que lo provocó la separación de las planchas de acero", señaló Ballard a la prensa mundial.

Por su composición, parte del acero que se producía en 1912 podía romperse con facilidad. Nuevos experimentos han demostrado que las frías aguas del Atlántico Norte pudieron hacerlo aun más frágil la noche del naufragio. El material se hizo pedazos por la presión del agua.

Una teoría, sustentada por el investigador estadounidense en tecnología de los materiales Tim Foecke, del Instituto Nacional de Medidas y Tecnología, de Gaithersburg, sostiene que la culpa del hundimiento del "Titanic" reside en la mala calidad del hierro de los remaches del casco.

Foecke descubrió que un trozo de hierro del malhadado buque que observaba al microscopio electrónico había sufrido una enigmática fractura. La pieza, un pasador de remache, había perdido uno de sus tapones de cierre con un corte aparentemente limpio. Algo inusual en un accidente en el que el hierro sufre un proceso de torsión antes de fragmentarse. El microscopio reveló que había demasiada escoria en la composición del fragmento de hierro, identificado como la pieza 401 usada en 1910 en los astilleros Harland and Wolff, de Belfast.

De ser coherente la tesis de Foecke, la fricción del témpano habría hecho saltar los remaches y permitido que las planchas se separaran, abriendo espacios del tamaño del resquicio de una puerta.

El "Titanic", construido en Irlanda con acero escocés, llevaba casi tres millones de remaches. Muchos habrían saltado entonces como si fueran de plástico cuando el buque rozó el iceberg.

El barco más cercano, a cuatro horas

Los momentos más dramáticos que se vivieron a bordo del "Titanic" fueron los que antecedieron al hundimiento total de la nave, con la proa ya sumergida, la popa escorada y el casco crujiendo, a punto de partirse. Para entonces todos los botes habían sido arriados, pero cerca de 2.000 personas no habían tenido cabida en ellos. Cuando bajaron el último bote, se reveló lo mejor y lo peor de cada ser humano.

En la cubierta se vio a algunos pasajeros cediendo su lugar a quienes veían más débiles. Pero muchos, armados con revólveres o con cuchillos, amenazaron a otros ante la posibilidad de salvarse, y llegaron a asesinar para ocupar un lugar en un bote o asegurarse un salvavidas.

Algunos sobrevivientes refirieron que uno de los pasajeros más ilustres, Benjamin Guggenheim, que murió en el hundimiento, cedió su salvavidas a una dama y trató de sembrar ejemplo, diciendo a quienes estaban junto a él: "Ninguna mujer quedará a bordo del barco porque Ben Guggenheim sea un cobarde".

También se cuenta que Guggenheim, antes de hundirse, fue a su camarote y salió vestido con smoking. Luego dijo a quienes lo rodeaban y estaban dispuestos a morir con dignidad, al igual que él: "Nos hemos vestido con nuestras mejores ropas, estamos dispuestos a hundirnos como caballeros".

Entre los gestos de grandeza también se contó el protagonizado por Isidor Straus, que se negó a subir a cualquier bote antes de que lo hubieran hecho los niños, las mujeres y otros hombres. A su vez, su esposa, Ida, rechazó en dos oportunidades abordar un bote salvavidas. En el primer caso dejó en su lugar a la chica de servicio que la acompañaba y le entregó su abrigo de piel. Unos minutos más tarde, cuando fue obligada a subir en el penúltimo bote, salió de él para quedarse con su marido.

En el cementerio del Bronx, en Nueva York, hay un monumento funerario en recuerdo de la pareja, con una inscripción que reza: "Ni las muchas aguas pueden ahogar el amor, ni las olas pueden hundirlo".

En tanto se sucedían estos gestos, magnánimos o abyectos, la gente corría enloquecida por la cubierta ladeada, dando gritos desgarradores, y nadie seguía las indicaciones del capitán Smith.

De esos momentos también se cuenta que hubo un hombre que se disfrazó de mujer para asegurarse un lugar en los botes salvavidas.

Esta anécdota nunca fue confirmada. Asimismo se hablaba de un primer oficial que, desbordado por la culpa de no haber hecho caso a las primeras advertencias acerca de la presencia del témpano, se descerrajó un tiro. Versión tampoco corroborada.

El barco más cercano, el "Carpathia" (cuyo telegrafista, Harold Cottam, había recibido el pedido de auxilio), estaba a cuatro horas de navegación del gigantesco transatlántico. Para llegar en dos horas, debía aumentar la velocidad —que en condiciones normales era de catorce nudos— y aun así era demasiado tiempo. El "Titanic" ya se hundía y en la oscuridad absoluta el horror era infinito.

El casco se había partido en dos, luego de la caída de la primera chimenea del barco sobre él, y sólo la popa emergía, erguida como una torre. En el momento en que la popa se elevaba, la presión estaba despedazando la nave. Tripulantes y pasajeros caían al agua helada, donde si nadie los rescataba morirían a los pocos minutos, congelados o ahogados. Sólo un bote de salvamento retrocedió para ayudarlos y rescató a una docena de personas.

En la popa, el capitán Smith estaba decidido a morir de acuerdo con las tradiciones.

La orquesta seguía con la música. Ya todo estaba perdido. Los últimos sones fueron los del himno religioso británico "Cerca de ti, Dios mío". Cientos de hombres y mujeres rezaban de rodillas en el puente.

Luego, el silencio. Después de la rotura del barco, la popa giró en la superficie y se mantuvo vertical durante casi un minuto, mientras que la proa y la parte central seguían descendiendo hacia las profundidades. Finalmente la popa se fue a pique, como una gigantesca torre de Babel que en lugar de derrumbarse cae en las fauces de su propio pecado.

El "Carpathia" había zarpado del puerto de Nueva York con destino al Mediterráneo. Sin embargo, el capitán Rostron, a cargo de la nave, ordenó cambiar la ruta e ir en ayuda del "Titanic", luego de interrogar al telegrafista si la situación revestía credibilidad. La tripulación y sobre todo los oficiales no salían de su asombro después de recibir los mensajes de auxilio. No podían creer que el transatlántico más grande del mundo estuviera hundiéndose y que a ellos les correspondiera la enorme responsabilidad de rescatar a quienes viajaban en él.

A pesar de la sorpresa inicial, el capitán Rostron no perdió la calma, y luego de ordenar forzar las calderas para lograr mayor velocidad, hizo que los cocineros prepararan gran cantidad de sopa, café y té para los náufragos, y le pidió al médico de a bordo que alistara la enfermería para atender a una enorme cantidad de pacientes hipotérmicos y semiahogados. Todo el personal a bordo del "Carpathia", incluidos camareros y mozos de cubierta, estaba listo para el rescate de los infortunados pasajeros del "Titanic".

El modesto buque logró, en ese momento desesperado, desarrollar una velocidad máxima de diecisiete nudos, mucho menos de lo que el capitán Smith había ordenado llevar a los tripulantes de su barco, con el fin vano de ganar la codiciada Cinta Azul.

A las 2.10 son radiados los últimos mensajes del "Titanic".

El frío es cada vez más intenso y el reloj del puente de mando del "Carpathia" marca las 2.45. El segundo oficial de la nave avista un témpano. El primero. Luego vendrían otros dos, ambos gigantescos. La nave hace un zigzag, pero el capitán ordena no bajar la velocidad. Rostron quería llegar a hacer algo por el "Titanic". Pudo haber sido un segundo desastre, de no ser por la pericia del piloto.

A las 3.35 el "Carpathia" ya está sobre la posición en que se desplazaba el "Titanic" cuando llegaron los mensajes de auxilio.

Ya son las 3.50 a bordo del "Carpathia". El tiempo apremia y el capitán Rostron teme por la suerte de los pasajeros del gigantesco buque. Una luz de bengala permite descubrir el primer bote con náufragos. Era la chalupa número dos, guiada por el cuarto oficial Boxhall.

Cuatro y diez. La primera pasajera del "Titanic" rescatada por los hombres del "Carpathia" sube a bordo. El capitán Rostron le pregunta a Boxhall si el gigantesco barco se había hundido. El cuarto oficial del "Titanic", con la voz quebrada, le responde afirmativamente.

En ese momento, el "Californian", primer barco que le había avisado al "Titanic" de la presencia de témpanos, estaba a sólo 20 kilómetros de distancia. Apuntaba el alba.

Cinco y cuarenta. El capitán Lord, del "Californian", luego de haber avistado una extraña luz en el horizonte, ordenó al telegrafista Evans que abriera la radio. Dos minutos después, un oficial llegó hasta el capitán Lord con la increíble noticia: el "Titanic" se había hundido al chocar con un iceberg. En ese instante, el capitán ordenó ir en dirección al transatlántico de lujo.

Ocho y treinta de la mañana del martes 16. El "Carpathia" rescata el último bote. El capitán Rostron se quedó con la idea de que podía seguir rescatando más sobrevivientes, pero todo parecía inútil. Reunidos en un salón de su barco, la mayoría de los náufragos salvados de las aguas heladas rezaban en agradecimiento y los más, por las almas de los que fueron devorados por el "Titanic". Ya se habían secado, habían tomado suficiente sopa y se abrigaban con nuevas ropas cedidas por la tripulación.

Poco después el buque del milagro arribaba al puerto de Nueva York con las tremendas noticias. "Es mi deber informarles que ayer, lunes 15 de abril de 1912, a las 2.22 a.m., se ha hundido el R.M.S. Titanic, buque insignia de la compañía White Star Line. Perdimos más de 1.500 personas. Mi más sentido pésame a los deudos".

El "Californian" también había querido prestar sus servicios, pero llegó demasiado tarde. Finalmente puso proa a Nueva York y desistió de participar de la hazaña del rescate.

Según las crónicas, la hora del hundimiento total osciló entre las 2.15 y las 2.16.

El único oficial de alta jerarquía que vivió para contar cómo ocurrió y rendir cuentas, de apellido Lightoller, declaró que vio cómo la inmensa popa se levantó con las hélices y el timón fuera del agua hasta alcanzar una posición perfectamente vertical.

"El sacrificio de los más fuertes"

El lunes del naufragio, los periódicos de ambos lados del Atlántico informaron erróneamente que todos los pasajeros del "Titanic" habían sobrevivido y que el buque había sido remolcado sin problemas. Días más tarde, el mundo se enteró de la verdadera magnitud de la tragedia y trató de dilucidar la madeja. Así comenzó a circular una larga lista de teorías extrañas. De acuerdo con una de ellas, el barco llevaba a bordo en forma ilegal el sarcófago de un faraón, lo cual provocó la ira de los dioses egipcios, que se despertaron de su letargo para hundir el buque. Ésta fue una vieja hipótesis rayana en lo absurdo. Pero existe una más reciente, precisamente acuñada en 1995 en el libro *The Riddle of the Titanic*, donde se sugiere que el transatlántico no se hundió, sino que el que se encontró en el fondo marino, cerca de Terranova, era un barco de la misma compañía, el "Olympic".

El "Titanic" hizo que la frase "Las mujeres y los niños primero" se convirtiese en un lugar común. A poco de acontecido el naufragio, los editorialistas británicos y estadounidenses alabaron hasta el cansancio la caballerosidad de los hombres de primera clase, que habían cedido voluntariamente sus asientos en los botes, de manera que las mujeres y los niños de tercera clase pudieran salvarse. Pero es claro que las estadísticas contradicen este conmovedor fresco, ya que la mitad de las mujeres y los niños que viajaban en tercera clase murieron, mientras que todos los chicos y casi la mitad de hombres que viajaban en primera sobrevivieron.

Las noticias reales tardaron en llegar al resto del mundo.

En Buenos Aires, el diario *La Nación* publicaba sobre la catástrofe un gran recuadro con títulos que se destacaban con fuerza: "El naufragio del Titanic; Choque con un témpano; 3.150 pasajeros en peligro; Un radiograma anuncia la catástrofe; Noticias contradictorias; Rumor de 2.500 ahogados; Detalles del salvamento; 100 millones de pérdidas; Nombres de algunos viajeros". La información era más errónea, sobre todo en las cifras, que contradictoria.

De todas maneras, la discrepancia en el recuento de pasajeros estuvo presente desde las crónicas de los días posteriores al naufragio, hasta hoy. El recuento de las autoridades estadounidenses arrojaba un saldo de 1.517 vidas perdidas, la compañía de navegación inglesa daba un total de 1.503 personas desaparecidas o muertas, y los cálculos de los organismos oficiales británicos cerraban el parte en 1.490. Nunca habrá un cifra precisa.

A poco de ocurrido el desastre, un cable procedente de Nueva York indicaba que la oficina de la White Star Line, a la que pertenecía el "Titanic", declaraba no tener noticias del accidente. Sin embargo, otro despacho llegado el mismo día a Buenos Aires confirmaba el hundimiento de la nave, admitido por sus constructores, en una nota que decía: "El 'Titanic' ha sufrido en su primer viaje una colisión con un iceberg, frente a los bancos de Terranova y se está hundiendo. Los 1.470 pasajeros que lleva a bordo se embarcan con todo orden en los botes y chalupas salvavidas".

Sin duda, la White Line ya tenía la confirmación de lo sucedido, pero trataba de tomarse el tiempo necesario para presentar la tragedia de manera que fuera menos perjudicial para su imagen. De ser eso posible.

De todos modos, ya no se podía distraer por mucho tiempo más al público que en todo el mundo estaba ávido de noticias del "Titanic".

Pese a los alaridos de la realidad, las noticias alentadoras siguieron por unas horas más. Así otro cable decía erróneamente: "Los diarios anuncian que, según un radiograma recibido por la estación Halifax, todos los pasajeros del 'Titanic' están a salvo".

Pero esa situación fabricada por imperio de los intereses de la compañía naviera no podía durar demasiado: un despacho recibido del "Olympic" anunciaba que el vapor "Carpathia" había llegado cerca del "Titanic" y sólo se había encontrado con los botes del barco náufrago.

Luego empezaron a aparecer los testimonios: "Un armador de Liverpool llegado últimamente a Nueva York a bordo del 'Germania' y que ha atravesado el Atlántico un centenar de veces declara que nunca ha visto tantas masas de hielo en una latitud tan meridional".

Martes 16. Recién ese día *The Boston Daily Globe*, en sus ediciones matutina y vespertina, detalla la tragedia. Ya no se puede ocultar la realidad. El título principal del matutino decía: "El Titanic se hunde, mueren 1.500". Y también mencionaba que el "Carpathia" había logrado rescatar a 675 sobrevivientes sobre un total de 2.200 pasajeros, y que la mayoría de los que se habían salvado eran mujeres y chicos.

La edición vespertina de *The Boston Daily Globe*, que salió de máquinas a las 7.30 de la tarde, daba como título principal: "Todos se ahogaron, excepto 868". E informaba por otra parte que más de 1.232 personas habían perdido la vida en el hundimiento del "Titanic", el más grande desastre ocurrido en el mar, en años.

En tanto, el *New York American* del miércoles 17 titulaba: "Todos los sobrevivientes del 'Titanic' en el 'Carpathia'. No hay esperanza: 1.535 muertos".

En la edición del miércoles 17 de *La Nación*, de Buenos Aires, se incluían testimonios dramáticos, como éste: "A las 12 del domingo el telegrafista del 'Titanic' envió un radiograma a sus padres diciendo: marchamos lentamente. Es casi imposible que nos hundamos. No teman nada". Ese mismo día los lectores porteños se enteraron de la verdadera magnitud del desastre en el mar: "Fuera de los 868 sobrevivientes de la catástrofe del 'Titanic', recogidos por el Carpathia, no se sabe nada acerca de la suerte corrida por los restantes".

Ese día llegó otro cable desgarrador, sobre todo para los familiares de las víctimas, que podían leerlo publicado en los diarios de todo el mundo: "Parece que no queda absolutamente nada del transatlántico, excepto la multitud de pequeños objetos flotantes y restos de maderas".

Como siempre sucede en estas tragedias ocurridas en medios de transporte, muchos salvaron su vida por haberse quedado dormidos o por otras circunstancias fortuitas. Así los periódicos publicaban: "El ex embajador de los Estados Unidos, Robert Bason, y su familia, debían embarcarse en el 'Titanic' para volver a América, donde el diplomático debía hacerse cargo de su nuevo puesto de director de la Universidad de Harvard, pero por una circunstancia cambiaron de plan con suerte".

Uno de los cables más crudos publicados por *La Nación* decía: "La mayor parte de los marineros y gente de servicio del Titanic dejan a sus familias en Southampton en la mayor miseria. En todas partes reina una gran tristeza, pero en Southampton, donde tantas esposas esperan, el drama es más oprimente".

Y otro comentario de la prensa de la época también llama poderosamente la atención acerca de los valientes marineros ingleses que "sacrificaron sus vidas fuertes para que se salvaran las de los más débiles". La idea imperante, por aquellos años, era que la vida de los más fuertes era, en definitiva, más valiosa.

En la edición del 19 de abril, *La Nación* dio la noticia del suicidio del capitán Smith con arma de fuego, algo no confirmado, dado que se cree que murió ahogado en el puente de mando. Así transcribía el matutino porteño, el relato de un sobreviviente: "Lo que me aterró al llegar a la primera cubierta atraído por los gritos y las voces de mando fue el capitán Smith, que sobre el puente de mando se pegaba un tiro de revólver en la boca. El ingeniero jefe del departamento de máquinas también puso fin a su vida, y tres italianos inmigrantes murieron al luchar para apoderarse de los botes, de resultas de balazos disparados por los oficiales del buque".

En los días posteriores, otras naves recuperaron 205 cuerpos que flotaban a la deriva, tomados a los restos del naufragio, congelados por las aguas, que en el momento de la tragedia tenían una temperatura de 28 grados bajo cero.

Entre los que se salvaron de la tragedia estaba Bruce Ismay, presidente de la empresa constructora del "Titanic". La sociedad londinense lo condenó al ostracismo por el resto de sus días.

El público británico también pudo leer por aquellos días signados por el naufragio más aterrador de la historia, un artículo periodístico escrito por el autor inglés de origen polaco Joseph Conrad. Un extracto de aquella nota dice así: "Si hay que creer en los últimos informes, el 'Titanic' sólo ha rozado contra una masa de hielo que no era, sospecho, lo voluminosa y fácilmente detectable que corresponde a una de esas descomunales montañas a la deriva, sino el borde inferior de un témpano; pese a lo cual bastó para hundirlo. Se hundió, causando además del dolor y la pena por tantas vidas perdidas, una especie de sorprendida consternación por el hecho de que semejante suceso haya podido en absoluto producirse. ¿Por qué? Con delgadas planchas de acero se construye un hotel de 45 mil toneladas para asegurarse el patronazgo de un par de miles de ricos huéspedes (si hubiera sido destinado sólo al tránsito de emigrantes no se hubiera dado tal exageración de mero tamaño), se decora en el estilo de los faraones o de Luis XV —no sé con certeza— y para complacer a dicho puñado de individuos, con más dinero del que sabían gastar, y por lograr el aplauso de dos continentes, se lanza esta enorme masa con dos mil personas a bordo a veintiún nudos a través del mar: perfecta exhibición de la moderna fe ciega en la materia y en lo artificioso. Y sobreviene el desastre. Conmoción general. La fe ciega en material y productos ha recibido un golpe terrible. Pero, ¿qué otra cosa cabía esperar dadas las circunstancias?

"Por mi parte, yo antes creería en la inhundibilidad de un buque de 3 mil toneladas que en la de uno de 40 mil: es una de esas cosas de la razón. No es posible aumentar indefinidamente el grosor de las planchas, mientras que el puro sobredimensionamiento es una desventaja adicional. Si ese desgraciado buque hubiera medido una cincuentena menos de metros probablemente hubiera eludido el peligro. Pero, entonces no habría dado lo suficiente de sí para instalar piscinas y un café francés. Y eso, claro está, no es un grano de anís. Pero todo encierra su moraleja. Sí, los materiales pueden fallar, y a veces también los hombres; pero si les cabe la oportunidad es más frecuente que demuestren más temple que el acero, que ese maravilloso y fino acero con el que se construyen nuestros modernos monstruos de mar".

Los comentarios de Conrad tienen doble valor por haber sido él mismo un experimentado hombre de las marinas mercantes francesa y británica. Sin embargo, si cabe hacer una acotación respecto de los hombres que participaron en la catástrofe, el "Titanic" tuvo el comandante que merecía, el ambicioso capitán Edward J. Smith.

Al rescate del buque maldito

Hoy las tres partes del barco —proa, casco y popa— descansan sobre un fondo de lodo. La proa se conserva en relativo buen estado.

La parte central y la popa están prácticamente destruidas por la presión y el impacto contra el fondo del mar.

1° de setiembre de 1985. La expedición al mando de Robert Ballard halló los restos del "Titanic" esparcidos en el lecho marino, a 6.500 metros de profundidad y a 600 kilómetros de la costa de Terranova.

A partir de entonces, expertos franceses y estadounidenses emplearon submarinos capaces de soportar enormes presiones, 400 veces más que en la superficie. Robert Ballard y sus colegas encontraron el casco partido al medio y un paisaje de maravillas enmohecidas.

Más de 3.000 objetos fueron recuperados de las frías aguas y enviados a laboratorios de Francia para ser restaurados.

La tragedia del "Titanic" fue revivida en la ficción a través de cantidad de novelas y filmes. En los Estados Unidos consideran que los tres temas sobre los que más se ha escrito en ese país son Jesucristo, la Guerra de Secesión y el "Titanic". Resulta curioso que se haya escrito más sobre el barco maldito que sobre Vietnam.

Asimismo, ya se han realizado diecisiete películas basadas en el desastre marítimo más dramático de la historia, además de dieciocho documentales y por lo menos 130 libros, y hasta se ha editado un CD-ROM con imágenes tomadas bajo el mar.

En los años que han pasado desde que se hundió el "Titanic", la historia de la catástrofe ha dado origen a canciones populares, teorías conspirativas, innumerables libros, musicales de Broadway y juegos de computadora familiares. Ha revivido en miniseries para la televisión, en documentales y en numerosas adaptaciones de Hollywood, que en 1997 culminaron con la película de James Cameron, el filme más caro realizado hasta la fecha. En los Estados Unidos, el buque maldito se convirtió en una industria cultural por sí mismo, una fábrica de entretenimientos de "titánicas" proporciones.

Ha habido tragedias humanas mayores, que se llevaron consigo muchas más vidas. Sin embargo, pocas han permanecido con tanta persistencia o inspirado tantas interpretaciones. Para algunas de las personas que se han sentido fascinadas por la historia del "Titanic" se trata de la clásica lucha del ser humano contra la naturaleza y de la advertencia de las aguas contra quien se atreva a enfrentarlas. En un episodio épico a la altura de las tragedias griegas, la historia del transatlántico más grande del mundo cuenta con el ingrediente del orgullo fatal de una era cuya fe en la tecnología y el progreso lindaba con lo religioso. Una historia de excesos y de lujos que junto con el estallido de la Primera Guerra Mundial, en 1914, marcaría el final de una era gloriosa para la burguesía europea y estadounidense: la *belle époque*. Esa clase acaudalada estaba representada por pasajeros de lujo como John Jacob Astor, Benjamin Guggenheim e Isidor Straus.

Hollywood hace olas

Dos años después de la expedición de Ballard, en 1987, el buzo canadiense Joseph MacInnis se refirió al resultado final de la tragedia del transatlántico en estos términos: "Es como una gran obra de Shakespeare. Se puede sacar del barco todo lo que uno desee, desde contar los botones del uniforme del capitán hasta significados reales, profundos".

En cuanto a los intentos de Hollywood de establecer récords de boletería con la historia del "Titanic", puede contarse como primer escalón la película muda "Saved from the Titanic", filmada a bordo del "Olympic", y que fue estrenada sólo un mes después de ocurrida la catástrofe. El fime tuvo un toque de autenticidad: Dorothy Gibson, una actriz en proyecto y pasajera de primera clase del "Titanic", obtuvo el papel principal. Era parte de la promoción.

Un dato de la realidad: aunque los informes dicen que Dorothy Gibson fue la primera persona en abordar un bote salvavidas en aquella trágica noche, en la película es casi la última, pues la heroína que encarna salva numerosas vidas antes de abandonar el barco.

En tiempos del régimen nazi, Josef Goebbels, ministro de propaganda del Reich, ordenó que se escribiera un guión para hacer una película sobre el "Titanic" donde se mostrara a los miembros de la tripulación británicos y norteamericanos como borrachos incompetentes, mientras que el único héroe debía ser un alemán. El filme nunca llegó a estrenarse.

Mucho más tarde, la industria del celuloide estadounidense produjo, en 1956, "Y el mar los devoró", con Barbara Stanwyck y Clifton Webb, dirigidos por Jean Negulesco. Un melodrama empalagosamente romántico. Sin embargo, fue superada rápidamente por un filme mejor documentado, "La última noche del Titanic", de factura inglesa, con Kenneth More, dirigido por Roy Baker. Esta película está basada en el libro de Walter Lord *Una noche para recordar*, que apenas contiene un par de errores históricos, aunque resulta sumamente verosímil desde el punto de vista cinematográfico. Para su realización se usaron sets basados en los diseños del constructor del barco y se emplearon excelentes efectos especiales. Además, tanto el guionista como el equipo de filmación contaron con el asesoramiento de un ex oficial de la nave que sobrevivió a la tragedia.

El tiempo pasó y el "Titanic" volvió a ponerse de moda. Hoy es comercializable todo lo referente al buque maldito, sobre todo después del éxito de la película de James Cameron, protagonizada por Leonardo DiCaprio y Kate Winslet, el filme más caro de la historia del cine hasta aquel año. Costó 280 millones de dólares, inversión que recuperó con total facilidad. Se asegura que llegó a un tope de ganancias de 1.500 millones de dólares. Asimismo, la banda sonora del filme, interpretada por la cantante Celine Dion, fue la más vendida de la historia.

"LUSITANIA"
Viaje directo a la boca del "U 20"

Sábado 1° de mayo de 1915. La tripulación del "Lusitania", poderoso buque de 45.000 toneladas y 213 metros de eslora, orgullo de la Marina mercante británica, perteneciente a la empresa Cunard Line, esperaba ansiosa la orden de zarpada. El capitán William Turner, al mando de la embarcación, era el encargado de dar la señal en cuanto se lo indicaran las autoridades del puerto de Nueva York.

Llevaban ya más de dos horas de retraso y las máquinas estaban listas. La caldera parecía reventar. En el mundo anglosajón de comienzos del siglo XX una demora, por pequeña que fuese, era señal de absoluta falta de responsabilidad. Pero no era el caso. En la otra punta del océano se libraba una guerra.

El "Lusitania", nave lujosa si las había. Pocos podían tener el placer de viajar en ella, sobre todo en la primera clase. Entre los más ilustres pasajeros estaban Alfred Gwyne Vanderbilt, que pertenecía a la cuarta generación de la familia más célebre y acaudalada de los Estados Unidos, fundada por el comodoro Cornelius Vanderbilt. También estaban a bordo sir Hugh Percy Lane, el coleccionista de piezas exóticas más famoso de la época; mister Stone, hijo del director de la agencia Associated Press, de Nueva York, y presidente del Sindicato de Periodistas de los Estados Unidos; el autor dramático Justus Miles Forman, que viajaba a Europa como corresponsal de guerra, y madame de Page, esposa del jefe del servicio sanitario belga.

Pero eso no era todo. La lista de pasajeros estaba integrada también por otras 1.973 personas de diferentes clases sociales y de muy diversas nacionalidades. No de todos los estratos, ya que el pasaje para viajar en tan lujoso buque no estaba disponible para todos los bolsillos, ni aún para los que decidían hacerlo en tercera clase.

A todos los tenía preocupados la demora de la nave en zarpar. Pocos conocían las razones inmediatas y, sin embargo, con la guerra del otro lado del océano, resultaba más que llamativa e intranquilizante.

22 de abril de 1915. La embajada alemana en Washington publicó avisos en los diarios estadounidenses, advirtiendo a los que se embarcaban en los buques británicos o de sus aliados, que lo hacían por su propio riesgo. El intimidante texto decía así: "¡Anuncio! Se recuerda a los pasajeros que intenten embarcarse en travesías por el Atlántico que existe un estado de guerra entre Alemania y sus aliados y Gran Bretaña y sus aliados; la zona de guerra incluye las aguas adyacentes a las islas británicas; de manera que en concordancia con el aviso formal dado por el Gobierno Imperial Alemán, las naves que lleven bandera de Gran Bretaña, o cualquiera perteneciente a sus aliados, son pasibles de destrucción en esas aguas y que los viajeros que naveguen por la zona de guerra en buques de Gran Bretaña o sus aliados lo hacen por su propio riesgo. Embajada Imperial Alemana. Washington D.C., 22 de abril de 1915".

Telegramas fúnebres

Las amenazas no llegaron solamente a través de las vías habituales, y esto puede ser visto como una señal adicional de que la nave no tendría que haber zarpado. Casi en momentos en que según el cronograma usual debía producirse la partida hacia las islas británicas, muchos de los pasajeros ilustres comenzaron a recibir telegramas firmados con nombres desconocidos. Eran mensajes intimidatorios, visiblemente emanados también, de manera informal, de la embajada alemana en los Estados Unidos, país que hasta entonces había permanecido neutral en el conflicto bélico desatado en 1914.

Alfred Vanderbilt, al recibir uno de esos telegramas, lo arrojó públicamente al fuego con desdén.

Luego de descartarse una posibilidad cierta de ataque, el capitán del lujoso transatlántico recibió la orden de zarpada. El "Lusitania", orgulloso buque producto de la arquitectura naval británica, que había entrado en servicio en 1907, abandonó el puerto de Nueva York, despidiendo con sus chimeneas la Estatua de la Libertad. Como cargamento importante declarado llevaba, además de los pasajeros, doce mil libras esterlinas en lingotes de oro.

Mucho orgullo británico. La construcción del transatlántico había costado un millón y medio de libras esterlinas, más que una fortuna para la época. Tenía 762 pies de largo y un ancho de 87,8 con 33 ½ pies de calado y 56 de puntal.

En tanto, en Buenos Aires, el diario *La Prensa* publicaba, aquel 1° de mayo: "A bordo del vapor 'Lusitania', que partió hoy a las diez de la mañana, reinaba gran sobreexcitación en el momento de zarpar, a causa de telegramas recibidos por varios pasajeros prominentes. Se les advertía que suspendieran el viaje, porque el vapor sería indudablemente atacado por submarinos alemanes. Ningún pasajero suspendió por eso el viaje, porque pasada la primera impresión, todos creían que se trataba de una broma; pero los telegramas circulaban de mano en mano y fueron objeto de variados comentarios. Hay quienes aseguran que se trata de un complot urdido para destruir el mayor número posible de buques ingleses, y la policía cree tener pruebas de la existencia de tal complot".

Sin embargo, algunas investigaciones posteriores revelaron que el poderoso barco llevaba además una importante carga adicional y que los documentos de embarque habían sido adulterados. Una de las grandes cuestiones relacionadas con el hundimiento del "Lusitania" es si en realidad el buque no era una pieza secundaria dentro de la táctica de la Armada británica, es decir, más de una vez se afirmó que estaba fuertemente armado y que además transportaba elementos bélicos desde los Estados Unidos hacia Europa, un intercambio acerca del cual la Marina alemana habría permanecido alerta desde algún tiempo antes del espectacular hundimiento.

La duda nunca fue develada oficialmente. El Almirantazgo británico aún hoy niega que haya habido armas a bordo del "Lusitania", en tanto los archivos oficiales estadounidenses mantienen en pie la versión oficial que se dio oportunamente: fue una "brutal agresión contra un inocente buque civil que transportaba ciudadanos de la América neutral". Sin embargo, en el terreno oficioso, el asunto está totalmente confirmado.

Travesuras del Almirantazgo

El dato más curioso es que sir Winston Churchill, en aquella época primer lord del Almirantazgo, ordenó el regreso de los destructores que escoltaban al "Lusitania", pese a saberse de la proximidad de los sumergibles alemanes.

Lo cierto es que, desde la partida de la nave, las amenazas de hundimiento no cesaron. Ya no eran telegramas enviados a ciertos pasajeros sino claras señales de que el barco iba a ser echado a pique en cualquier momento. Al respecto cabe recordar el célebre artículo aparecido en un diario de la ciudad alemana de Colonia, que terminaba con esta frase: "Los neutrales deberán aceptar que llevemos esta guerra de la misma manera y con las mismas armas que tenemos para ello, pese a que éstas deban molestar a los neutrales de vez en cuando".

Aunque no deliberadamente, estaban empujando a los estadounidenses a llevar oxígeno y sangre nueva a sus hermanos británicos y franceses, ya agotados por una guerra en la que parecía que iban a ser derrotados por las arrolladoras tropas del Kaiser Guillermo II. Los alemanes jugaban con fuego, y lo hacían a todo o nada.

En Alemania se estaba al tanto de que el "Lusitania" cumplía funciones de crucero auxiliar de la Armada británica y circulaba la información de que estaba dotado de cuatro cañones de seis pulgadas. Sus travesías eran seguidas con interés y curiosidad, pues era sabido que su existencia estaba permanentemente amenazada por tratarse, con el "Mauritania", de las dos naves más grandes, lujosas y casi perfectas construidas hasta ese momento por la marina mercante mundial. En los anuarios navales que poseía la Marina alemana, tanto el "Lusitania" como el "Mauritania" figuraban como barcos armados o como cruceros auxiliares.

Este hecho no era ignorado por la compañía naviera dueña del "Lusitania", que le había cambiado el color de las chimeneas, originalmente rojas, por el gris.

Es importante señalar que el "Lusitania" había sido construido, como su gemelo, el "Mauritania", con una subvención del Almirantazgo británico, sobre la base de un acuerdo en virtud del cual ambos barcos debían estar, a su pedido, a disposición del alto organismo naval. Por eso, meses antes de estallar la Primera Guerra Mundial, un conflicto largamente anunciado, por orden del Almirantazgo se les hicieron modificaciones a estos buques, a fin de colocar en cada uno doce cañones. Sin embargo, estas armas no llegaron a ser montadas.

De todos modos, resultaba evidente que, aprovechándose del hecho de que los submarinos alemanes, hasta ese fatídico febrero de

1915 aún no atacaban a los barcos de pasajeros, éstos fueron empleados para transportar material militar a Inglaterra.

Otro dato revelador aparece cuando se revisan los registros de
embarque. Todo barco que se dispusiera a zarpar de los Estados
Unidos debía tener un boletín de cargamento, que era de carácter
público y especificaba las mercaderías. Pero dicho boletín podía dividirse en dos partes: la normal y otra para cargas de último momento.
Esta última parte del boletín no era fácil de consultar. Por lo demás,
muchos materiales bélicos eran declarados de interés no estratégico
sobre la base de complicados expedientes. En el último viaje del
"Lusitania", el boletín de carga normal era de una sola página, en
cambio, el boletín agregado alcanzaba las 24 páginas.

En este boletín agregado figurarían 3.863 cajas de espoletas para
proyectiles, declaradas como material no explosivo, y 5.000 cajas de
balas. Junto con este material, oculto en las bodegas, había miles de
barriles en los que se suponía había manteca y cajones que se creía
que contenían quesos de diversas clases. Pero pesaban como si fue-
sen de hierro.

"Pescaremos al 'Lusitania'"

5 de mayo. En los Estados Unidos, Max Müller, director en Nueva York de la antigua línea naviera Norddeutscher Lloyd, declaraba:
"Pescaremos seguramente al 'Lusitania'; no es tan rápido como muchos de nuestros submarinos".

Sin embargo, todo el mundo estaba al tanto de que el "Lusitania"
era más rápido que cualquier sumergible alemán construido hasta
entonces. Podía desarrollar una velocidad de 27,25 nudos por hora.
La mole de cuatro chimeneas podía surcar desafiante la enorme pista
de agua llamada océano Atlántico.

Aquel mismo día y a la misma hora, en aguas irlandesas y en los
alrededores del punto por donde forzosamente pasan todos los navíos que van a penetrar en el canal de San Jorge a lo largo de Old-
Head-of-Kinsale, varios submarinos alemanes tomaban posición de
ataque.

Los capitanes de aquellos sumergibles sabían perfectamente que
el "Lusitania" era mucho más rápido que sus naves. Pero también
conocían muy bien las costas del Atlántico Norte, y sabían que para
hundir al famoso vapor sólo tenían que esperarlo entre dos aguas en

cualquier rincón de Irlanda, en el sitio en que forzosamente debía moderar la marcha.

Viernes 7 de mayo. Muchos pasajeros recibían el encantador día primaveral en cubierta, paseando, leyendo o descansando en las reposeras. Los chicos, muy numerosos, jugaban sin darse cuenta ya del bambolearse de la embarcación. Si bien no hay datos fehacientes de la cantidad de niños a bordo, Theodore Roosevelt, quien fuera presidente de los Estados Unidos, célebre por su patrioterismo e ímpetu colonizante, señaló que habría habido ciento cincuenta.

El mediodía transcurrió sin novedad. En los relojes del buque sonaron las dos de la tarde. El tiempo seguía siendo bueno. A unos catorce kilómetros de distancia, las costas irlandesas ya precisaban sus contornos azulados. Al divisarse tierra, el navío comenzó a aminorar un poco su velocidad a 17 nudos. Eran los últimos minutos de un viaje que parecía feliz y sin dificultades. El "Lusitania" estaba navegando al sur del cabo Kinsale, junto a la costa meridional de Irlanda y ya muy cerca del muelle de Liverpool.

18 minutos mortales

Un pasajero estadounidense inclinado sobre la baranda de la cubierta de primera clase se inclina más de la cuenta al ver una estela blanca. Salta como resorte y grita: "¡Un torpedo!". Eso fue todo. El impacto contra la proa del "Lusitania" provocó una explosión terrible. Un furioso estremecimiento levantó en el aire a todo el buque, que luego se inclinó pesadamente. El submarino alemán "U 20" había lanzado el torpedo de oro contra el blanco codiciado. La mayoría de los pasajeros no se daban cuenta exactamente de la situación, y corrían desorientados de un lado a otro. Uno de ellos, George Kessler, sacó su reloj y con total frialdad grabó en su mente esta simple observación: "Son las 2 y 15 minutos". El capitán Turner ordenó al piloto poner proa hacia el litoral y las máquinas se lanzaron a toda velocidad. Fue un intento desesperado por acercarse más a la costa irlandesa. Poco después, el transatlántico fue sacudido por un nuevo torpedo y comenzó a hundirse con una rapidez tal que solamente pudieron salvarse alrededor de 700 pasajeros. Escorado por la banda de estribor, el "Lusitania" tardó apenas 18 minutos en sumergirse en las aguas del Atlántico Norte. El tiempo sólo permitió que pudieran arriarse dos botes. Eran las 14.33. Con él desaparecieron 1.198

personas, de las cuales 128 eran de nacionalidad estadounidense.

De todos modos, a años vista, las cifras referidas a las víctimas del naufragio presentan variaciones. No existe una crónica que dé el número exacto. No hay una lista minuciosa de desaparecidos en el desastre.

Uno de los sobrevivientes contó, días después: "Sobre el lugar, donde 20 minutos antes había estado flotando el buque serenamente, se veía una masa indescriptible de náufragos; por todas partes se alzaban manos y brazos de mujeres y niños que luchaban por mantenerse a flote".

Todos los barcos de que se disponía en Queenstown, Kinsale y otros puertos de las costas más próximas fueron despachados para prestar auxilio, pero como transcurrió una hora antes de que el primero llegase al sitio del hundimiento, ya habían desaparecido las dos terceras partes de los náufragos.

Alfred Gwyne Vanderbilt fue una de aquellas víctimas. La riqueza no lo salvó de ser desesperadamente cortés. Los sobrevivientes dijeron que dio generosamente su salvavidas a una mujer. Pronto comenzaría a arder Troya. El magnate más famoso de los Estados Unidos se había hundido con el "Lusitania" y el gobierno norteamericano no habría de quedarse cruzado de brazos.

El capitán William Turner, que permaneció todo el tiempo en el puente de mando, se hundió con el buque, pero fue rescatado después por una escuadrilla de salvamento.

En la declaración que el capitán Turner prestó ante el juez naval dijo que el buque no estaba armado y que no lo escoltaba ningún buque de guerra. Asimismo subrayó el hecho de que no hubo pánico a bordo. Al ser interrogado acerca de si había pedido protección al Almirantazgo británico, a consecuencia del aviso intimidatorio publicado por la embajada alemana en los diarios estadounidenses, el comandante de la nave respondió: "No, lo dejo a los señores del Almirantazgo, pues eso les corresponde a ellos y no a mí. A mí me corresponde simplemente cumplir la orden y emprender el viaje, y lo haría de nuevo si se me lo ordenara".

En tanto, el Almirantazgo, a través de su primer lord, sir Winston Churchill, declaró en la Cámara de los Comunes que se había avisado al capitán Turner de las noticias publicadas en los Estados Unidos y que se le impartieron instrucciones sobre la ruta a seguir.

Los Estados Unidos se preparan para la guerra

Por su parte, el presidente de los Estados Unidos, Woodrow Wilson, protestó enérgicamente ante Berlín y exigió que Alemania reconociera haber violado el derecho internacional y pagara una indemnización. En tanto, las autoridades alemanas alegaron que el hundimiento del "Lusitania" fue un acto de guerra legítimo, dado que el barco transportaba material bélico que iba a ser utilizado al cabo de muy poco tiempo contra las tropas del Kaiser.

Años más tarde, el embajador de los Estados Unidos destacado en Berlín en esos difíciles años, y ex magistrado de la Corte Suprema del estado de Nueva York, James W. Gerard, describió en su libro titulado *Mis cuatro años en Alemania*, los problemas diplomáticos generados por el hundimiento del "Lusitania". La anécdota más jugosa cuenta la entrevista que tuvo con el subsecretario de Relaciones Exteriores del gobierno del Kaiser, de apellido Zimmermann, que le manifestó que los Estados Unidos no se atreverían a hacer nada, por cuanto tenían en su tierra quinientos mil reservistas de sangre germana, que se levantarían en armas contra el gobierno si éste se atreviese a tomar medidas contrarias a Alemania. Estas palabras habían sido dichas con enojo y golpeando con el puño el escritorio, a lo que Gerard había replicado que ellos también tenían quinientos y un mil postes de alumbrado para colgarlos si se atreviesen a realizar un levantamiento.

Luego del hundimiento del vapor, los pedidos de audiencia del embajador estadounidense en Berlín, para entrevistarse con el Kaiser, fueron sistemáticamente ignorados por el canciller alemán Bethmann Hollweg. La razón de Alemania era que su emperador no concedía entrevistas al enviado de un gobierno que vendía armas y municiones a sus enemigos. Y pensar que el rey inglés era primo hermano del emperador alemán...

Anécdotas aparte, desde el punto de vista de la guerra naval, el golpe mortal infligido al "Lusitania" consagró el éxito de la implacable persecución entablada por los submarinos alemanes.

La guerra submarina fue un hecho de la vida naval militar a partir de 1915 y fue intensificándose en 1916.

En los años anteriores a la guerra, la Armada británica había demostrado, sin embargo, un dominio absoluto sobre los mares. Mientras la flota alemana permanecía en sus puertos a la espera, la Marina británica, en sus bases septentrionales, ejercía un señorío en el mar en gran parte invisible. Por culpa de él, Alemania se vio despojada de sus colonias y su comercio desapareció de las rutas marítimas que, en cambio, permanecían abiertas al paso de los buques mercantes de Inglaterra y sus aliados.

El dominio del mar significaba para las fuerzas británicas mucho más que la captura de las colonias alemanas. El Almirantazgo consideraba que si la seguridad de las rutas alemanas se hubiera visto en peligro, su capacidad para sostener la lucha habría quedado paralizada.

Los alemanes aún no contaban con su mejor recurso, los submarinos, y entretanto su esfuerzo naval se había concentrado en la construcción de buques de combate para una batalla que no se arriesgarían a entablar hasta bien entrada la guerra, recién en 1917.

Sin embargo, en el ataque directo a las rutas comerciales británicas, los pocos cruceros de que disponía Alemania produjeron no pocas perturbaciones en proporción con su número. Sólo dos cruceros ligeros, el "Emden", en las Indias orientales, y el "Karlsrune", en las occidentales, hundieron o capturaron 32 buques mercantes.

En un momento, nada menos que 78 cruceros británicos estaban comprometidos a cazar al "Emden". Recién lo lograron el 9 de noviembre de 1914.

Los británicos se vieron nuevamente en serios apuros cuando los cruceros acorazados del almirante Von Spee vencieron a la escuadra de cruceros del almirante Cradock, cerca de Coronel, en la costa chilena. El revés quedó compensado, sin embargo, con un movimiento de gracia y por sorpresa realizado por el Almirantazgo inglés, en virtud del cual dos cruceros de batalla enviados desde Inglaterra al Atlántico Sur hundieron a los barcos de Von Spee a la altura de las islas Malvinas el 8 de diciembre de 1914. A fines de ese año los mares lejanos a Europa quedaron libres de barcos de guerra alemanes y la flota del Kaiser quedó limitada a operar en el Mar del Norte. Hasta ese momento parecía que los británicos habían conseguido definitivamente el dominio del mar, con lo cual podían ejercer presión económica sobre Alemania. Éste era el fundamento real de la guerra marítima.

Pero a partir de la intensificación de la guerra submarina, los mares, a despecho de la vieja tradición británica, pasaron a ser dominados por los lobos alemanes, comandados por el almirante Von Tirpitz.

La táctica alemana en los océanos estaba basada en la evidencia de que el submarino era un arma superior a las naves de superficie, dado que les permitía operar cómodamente en el acceso a los puertos, ya que aún no se habían desarrollado ni siquiera primitivos sistemas de radar.

Así fue como en febrero de 1915 los alemanes declararon la guerra submarina al comercio británico. Proclamaron que las aguas en torno de las islas británicas eran zona de guerra y que todos los barcos, enemigos o neutrales, que navegasen por ellas serían hundidos sin previo aviso. Los ingleses replicaron arrogándose el derecho a detener a todos los barcos sospechosos de llevar mercancías a Alemania y conducirlos a sus puertos para su inspección. Una táctica demasiado lenta comparada con la usada por los alemanes. Así los británicos provocaron dificultades comerciales a las naciones neutrales, principalmente a los Estados Unidos, país sobre el que presionaban constantemente para que entrara en la guerra del lado aliado.

En esta situación se produjo el hundimiento del "Lusitania".

De todos modos, la Primera Guerra Mundial se definió en tierra. Y fue determinante la entrada de los Estados Unidos en el conflicto, producida, por lo menos en el terreno de lo anecdótico, por el viaje del "Lusitania" al fondo del océano.

El capitán Turner revela la verdad

Lo más patético y revelador del hundimiento de este coloso de los mares de comienzos del siglo XX fueron las palabras del capitán William Turner, que repitió incansablemente a lo largo de toda la vida: un mensaje codificado remitido a la nave fue el que ocasionó que ésta se dirigiera directamente al encuentro con los submarinos.

Cuarenta y cinco mil toneladas quedaron a 96 metros de profundidad, en el mar de Irlanda.

Es curioso asimismo el relato del teniente comodoro de la Armada alemana Walter Schweiger, capitán del submarino "U 20". Su voz fue la que ordenó el hundimiento del "Lusitania".

El teniente comodoro dijo haberse sorprendido de que el "Lusitania" se aventurara en aquellas aguas, ya que sólo el día anterior otros dos vapores británicos habían sido hundidos por su sumergible en esa misma área.

Mientras observaba al "Lusitania" torpedeado a través de su periscopio, Schweiger anotó en su registro: "El barco se detiene inmediatamente y se inclina con rapidez hacia estribor. Gran confusión...

Botes salvavidas son desamarrados y lanzados al mar. Muchos botes repletos. Se llenan de inmediato y se hunden. Me hubiese sido imposible disparar un segundo torpedo en medio de esa multitud luchando por salvar sus vidas".

¿Lanzó Schweiger el segundo torpedo de gracia aun a costa de tantas vidas, como afirman los testigos? ¿Alcanzó el "Lusitania" a bajar más de dos botes?

La historia siempre tiene al menos dos caras. Y en el caso del hundimiento del "Lusitania" esas fachadas sufrieron el maquillaje provisto por el interés de los gobiernos y del negocio naviero.

"EGYPT"
Oro para Mussolini

Así como 1912 se hizo famoso por ser el año del hundimiento del "Titanic", 1922 no fue famoso por el naufragio del "Egypt" sino por la marcha de los "camisas negras" de Mussolini sobre Roma.

El "Egypt" se fue a pique el 19 de mayo de 1922, y para ese día los registros históricos anotan ante todo la reforma del Sistema Monetario Internacional, algo que sin duda modificó más vidas que las que se perdieron en el naufragio de un modesto barco de la línea Peninsular y Oriental.

El buque había zarpado de Londres con destino al puerto de Bombay, en la India, e iba a realizar la travesía por la tradicional ruta del canal de Suez.

Ésa era la ruta tradicional de los navíos británicos luego de la construcción del canal. Y más aún tratándose del "Egypt", que había sido bautizado con el nombre del país donde se encontraba el famoso paso.

En 1858 Ferdinand de Lesseps había adquirido los derechos para organizar una compañía que construyera el canal, a su amigo, el virrey de Egipto Said Pasha. El canal de Suez fue inaugurado en una gran ceremonia, el 17 de noviembre de 1869, en Port Said, bautizado así en homenaje al virrey. El antiguo viaje entre Londres, a través del cabo de Buena Esperanza, en Sudáfrica, para llegar a Bombay, insumía 19.950 kilómetros de recorrido. Gracias a la apertura del canal de Suez el viaje se acortaba a 11.670 kilómetros, casi la mitad.

Ése hubiera sido el recorrido del "Egypt" si la mala suerte no se hubiera cruzado en su ruta.

Pero aún no es momento de hablar de pérdidas, sino del cargamento que el cumplidor buque llevaba en sus entrañas. Además de la carga usual consistente en artículos manufacturados, el "Egypt" llevaba en sus bodegas más de un millón de libras en lingotes de oro y plata, lo que hacía diez toneladas de plata y cinco de oro.

Eran jornadas complicadas para la política mundial. Días antes de la partida del "Egypt", las autoridades británicas e italianas habían manifestado su intención de reconocer el gobierno de los soviets que regía la antigua Rusia. Lenin aún vivía y ya habían fusilado al zar y a su familia. Era lógico que por otro lado se estuviera gestando una ofensiva derechista, que se pondría en evidencia con el surgimiento del liderazgo de Benito Mussolini y con la abundancia de panfletos antisemitas y anticomunistas en las ciudades alemanas. En tanto, Egipto, país por donde debían pasar, había sido declarado independiente por Gran Bretaña, en febrero de aquel año, claro que con algunas condiciones, como la protección de los derechos extranjeros y la supervisión inglesa de la defensa.

Las pocas personas interesadas en política internacional a bordo del "Egypt" discurrían sobre estos avatares mundiales, y los más comentaban los últimos resultados del soccer o del cricket.

Algún osado pasajero prefería entretenerse solo leyendo el escandaloso último libro de James Joyce, *Ulises*, en una edición limitada que había conseguido en París.

Hay humo en tus ojos

El viaje era normal, sólo que el horizonte estaba poblado por una intensa niebla. Los pasajeros que hacían el trayecto habitualmente en esa época del año lo tomaron como un fenómeno climático corriente. La temperatura ambiente era de unos 10°C y la visibilidad por efecto de la niebla era de apenas 20 metros. Ya se hallaban frente a la isla de Ushand, en el extremo occidental de Bretaña, península francesa. El capitán Collyer ordenó reducir la velocidad y hacer sonar la sirena de niebla continuamente.

A babor se oyó otra sirena, la del vapor francés "Seine", que se dirigía desde La Rochelle hasta El Havre. Pero este barco no venía realizando una navegación tal como lo acostumbraba, pegado a la costa. A causa de la niebla había tomado una ruta mar adentro, para no chocar contra los escollos rocosos de Bretaña. Esta decisión era conveniente para que el "Seine" en principio no tuviera problemas, pero causó confusión en el capitán del "Egypt", que no pudo evitar la colisión.

Ambos chocaron en cuestión de segundos. El "Egypt" tardó apenas veinte minutos en hundirse.

Luego del choque, los pasajeros sintieron un temor en la piel mucho mayor al que les había producido hace diez años la lectura de los hechos ocurridos a bordo del "Titanic". El caos fue considerable a pesar de los esfuerzos del capitán Collyer por mantener el orden para realizar un adecuado salvamento de los pasajeros y la tripulación. En este caso, los botes salvavidas eran suficientes, pero a causa del desorden perecieron ahogados 71 miembros de la tripulación y 15 viajeros.

Durante la investigación se dijo que el "Egypt" estaba marchando a excesiva velocidad para un momento de tan espesa bruma. Sin embargo, la Justicia probó que ni el capitán ni sus segundos de a bordo habían cometido negligencia.

Al comienzo no pareció económicamente práctico intentar el rescate del "Egypt". Un examen de cartas de navegación permitió establecer que el buque se había hundido a 120 metros de profundidad, y los límites técnicos para las operaciones de salvamento, sobre todo a causa de la despresurización de los buzos, llegaban hasta los 45 metros. Por otra parte, se sabía que la caja fuerte del barco inglés, donde se hallaban los lingotes de oro y de plata, era una larga y estrecha cámara de 7,5 por 1,5 metros, ubicada debajo de tres cubiertas, y por lo tanto sería muy difícil llegar a ella.

El ojo de Sandberg

Sin embargo, el ingeniero sueco Peter Sandberg consideró que los recientes avances en el diseño de los aparatos de investigación y navegación submarina podían posibilitar el rescate del metálico que viajaba en el "Egypt". Ya a finales de la década en que se hundió el navío se habían inventado rígidas estructuras de acero capaces de soportar la presión externa del agua hasta 150 metros de profundidad. El ingeniero Sandberg, por su parte, construyó una versión a la que llamó El Ojo, que se propuso equipar con avanzadas herramientas de sondeo submarino, a fin de recuperar el cargamento. Pero ante todo debía localizar su ubicación.

Luego de dos intentos fracasados por descubrir el lugar donde se había hundido el "Egypt", el ingeniero sueco unió sus fuerzas a una compañía italiana, la Sorima, encabezada por el comendatore Guaglia. La empresa Sorima estaba a la cabeza en la tecnología de rescates subacuáticos, y había trabajado bajo las aguas del Mediterráneo con los recién creados trajes de buzo Neufeldt y Kuhnke, lo bastante resistentes para soportar la presión del mar a 120 metros de profundidad. Era exactamente lo que se necesitaba para bajar hasta el "Egypt", sin pedir disculpas a los muertos que habían quedado dentro de él.

Eran días de intenso calor. El verano abatía toda Europa, por lo que los buzos encargados del rescate se sentían felices de emprender una tarea tan refrescante, si bien peligrosa. Nunca se habían animado a descender a tanta profundidad. Temían la borrachera que provocaba la presión submarina que indefectiblemente derivaba en la muerte. De todas maneras estaban informados sobre la eficacia de los equipos que proveía Neufeldt y Kuhnke.

El traje era blanco y articulado. Contaba con coyunturas de caucho que daban movilidad a la cadera, las rodillas y los tobillos, y estaba dotado de pinzas operadas a mano dentro del traje, que permitían tomar piezas del fondo del mar.

El equipo de rescate sueco-italiano pasó más de un año buscando los restos del "Egypt" basándose en los más diversos métodos, que incluyeron a un monje capuchino que se valió de la radiestesia para tratar de localizar el buque naufragado en 1922. El monje usó ramas y también un magnetómetro primitivo.

Lo que más ayudó a los hombres ocupados en lograr el rescate fue saber que el casco del "Egypt" estaba completamente pintado de blanco. El cable que usaban para buscarlo se atoró en los restos del barco hundido y quedó totalmente manchado de blanco. Una vez que salieron a la superficie, el ingeniero Sandberg y el comendatore Guaglia se abrazaron emocionados. Habían dado con el tesoro.

Mientras los suecos y los italianos se empeñaban en rescatar los restos de un viejo barco, los ingleses, que eran sus dueños, empleaban el tiempo en realizar otro tipo de hazañas. Así, el 1° de agosto de 1930 el dirigible británico R-100 cruzó el océano Atlántico en 77 horas y 35 minutos, demostrando que era hora de dejar de hacer esas travesías en buques.

En algunas revistas aparecen crónicas del rescate cerca de Bretaña, pero los amantes del cine, que ya por entonces existían y por cientos de miles, se sentían más conmovidos por la muerte de un excelente actor de películas mudas de terror, Lon Chaney, que había abandonado este mundo el 26 de agosto de aquel año.

Sólo se trataba de soñar un poco, en medio de la gran depresión, a la manera en que lo cuenta Woody Allen en "La rosa púrpura de El Cairo". El cine permitía escapar de los problemas cotidianos, sobre todo de la falta de dinero y de trabajo. El crac económico mundial de 1929 había dejado a la mayor parte de la clase trabajadora y profesional del mundo en la bancarrota. La desocupación se había cuadruplicado y se estimaba que en el universo industrializado de los países centrales había por lo menos 21 millones de desocupados. Los salarios no alcanzaban ni para comprar lo indispensable y los bancos y los negocios quebraban constantemente. Para millones de personas la lucha por ropa, vivienda y abrigo resultaba cada vez más desesperada. Los británicos, que otrora podían vivir en la opulencia y hasta realizar viajes de placer o de negocios, ahora remendaban sus zapatos con cartón y juntaban carbón en las vías del tren en desuso para echar en sus estufas. La situación era lo más distante que se podía imaginar del dorado 1922 que había visto partir al "Egypt" del puerto de Londres. Las ciudades estaban pobladas por ejércitos de desnutridos que en muchos casos no sabían lo que era ver diez monedas juntas.

El sabor de los lingotes

Esos cientos de miles de personas que deambulaban por las calles sin esperanzas no se interesaban en un grupo de visionarios que iban a verse enriquecidos de la noche a la mañana de la manera en que lo hicieron los propietarios de la empresa Sorima y el ingeniero sueco Peter Sandberg. La fiebre del oro se había agotado hacía rato. Sin embargo, estos aventureros chapados a la antigua consiguieron, el 30 de agosto, llegar hasta los restos del "Egypt", que contenía un jugoso tesoro, al que no iban a afectar los vaivenes de la bolsa.

Tampoco fue la alta tecnología de la época lo que les permitió realizar la hazaña. El método que se mostró más eficaz a la hora del rescate fue arrastrar un cable suspendido entre dos barcos hasta que se trabara con el buque hundido.

La empresa Sorima había creado una cámara de observación con un tripulante, similar al ojo que había inventado el ingeniero Sandberg, pero en lugar de usar herramientas en el fondo del mar, todo el trabajo se realizó con un guinche subacuático. Dentro de la cámara de observación, el buzo guiaba la posición del gancho por medio de un teléfono. El guinche era activado mediante el seguimiento de esas instrucciones por parte de la tripulación del barco de rescate.

A través de un gancho se colocaron explosivos a bordo de lo que quedaba del "Egypt", y fueron activados desde la superficie. Luego de cada explosión, el gancho apartaba los restos de metal destruido. De esta manera, la compañía italiana fue avanzando hasta llegar a la bóveda del barco donde estaban los lingotes de oro y de plata.

Oro para el Duce

El primer ladrillo de oro se recuperó el 22 de junio de 1932, casi dos años después de que fuera descubierto el "Egypt", y más de diez años después de su hundimiento.

Sin embargo, en aquellos días, la prensa italiana no se ocupó en absoluto del fabuloso rescate que había comenzado a realizar una compañía nacional. Las primeras planas de los periódicos se encargaban de publicar la condena a muerte y ejecución de los dos implicados en el último atentado contra Benito Mussolini.

Y el mundo, que comenzaba a salir de la gran depresión, se preocupaba más por el secuestro del hijo de Charles Lindbergh, el aviador norteamericano, que se produjo el 1° de marzo de 1932. Nunca volvió a saberse de aquel bebé. También ocupaban las tapas de diarios y revistas los triunfos electorales de los nazis en Alemania y la gran campaña electoral de Franklin Delano Roosevelt en los Estados Unidos.

El trabajo continuó durante dos años, espacio en que los buzos también fueron puestos a prueba. Y no fue para menos, dado que en un momento tuvieron que vivir el pánico de que, mientras estaban trabajando en él, el casco del "Egypt" se hundiera definitivamente en el lecho del mar.

En ese término se recuperó prácticamente el cargamento completo en oro y plata, excepto 36.693 libras. En total se perdieron 17 lingotes de oro y 30 barras de plata, lo que demuestra que ningún trabajo es perfecto aunque quienes lo efectúen consideren que tienen a su disposición la última tecnología del momento.

Hasta hoy nadie intentó volver por los lingotes que faltan.

Para cuando terminó el rescate del cargamento del "Egypt", el panorama mundial se había modificado sustancialmente. China había sido invadida por Japón, que se preparaba para un guerra de mayores proporciones, y Hitler había sido nombrado canciller de Alemania, con plenos poderes, y sus partidarios habían quemado el Parlamento germano. Franklin Roosevelt estaba logrando sacar adelante a unos Estados Unidos que hasta hacía poco parecían haberse resignado al caos económico, y España comenzaba a dividirse en un bando revolucionario y otro conservador.

Gran parte de los lingotes rescatados por la compañía Sorima sirvieron para fortalecer la economía de la Italia de Mussolini, que pocos años después entraría en guerra contra Inglaterra, dueña del buque, que nunca se preocupó por rescatarlo, y contra Francia, en cuyas costas se había ido a pique el "Egypt" con su cargamento de oro y plata.

"PRINCIPESSA MAFALDA"
Atado con alambre

orrían los últimos años de la apacible década del veinte en la Argentina, cuando la gente aún no había oído hablar de palabras como inflación y desocupación, veía películas mudas de pie en suntuosas salas con orquesta y bailaba el charleston y el tango bajo la serena tutela del presidente Marcelo T. de Alvear. En efecto, en 1927 la Argentina era un pueblo próspero e infinitamente optimista en sus afanes de progreso. La inmigración masiva de europeos le había cambiado por completo la cara al país, y aunque la convivencia de criollos y extranjeros despertaba ciertas reacciones furiosas, el territorio era vasto y su riqueza benévola.

Sin embargo, el mes de octubre deparó una agria sorpresa para los argentinos. El hundimiento del transatlántico "Principessa Mafalda" causó estupor en toda la sociedad, no sólo porque se trataba de un barco muy conocido en estas costas sino por los ribetes macabros del naufragio y la muerte de muchísimos pasajeros.

El "Principessa Mafalda" era un buque de origen italiano que durante 19 años unió nuestras costas con el Mediterráneo, trayendo consigo a muchos de los inmigrantes italianos y españoles que vivían en el país. Había sido botado en 1908 y el padre de la criatura eran los astilleros de la Societá Esercicio Bacini, de Riva Trigoso. Por aquellos años era un magnífico buque, equipado con lo más suntuoso del refinamiento europeo. Pesaba 9.210 toneladas, medía 435 pies de eslora y 55 y medio de manga, y su itinerario era Génova-Barcelona-Río de Janeiro-Montevideo-Buenos Aires. Era el primer transatlántico de lujo que unía estas costas con Europa, de modo que pasó a ser el favorito de la alta sociedad argentina, uruguaya y brasileña al momento de visitar el viejo continente.

Pero casi veinte años después, su tecnología ya estaba lejos de ser de avanzada y el estado de la nave dejaba mucho que desear, por lo que en octubre de 1927 la Navigazione Generale Italiana decidió sacarlo de servicio luego de un último viaje hasta Buenos Aires. En efecto, ése sería su último viaje, pero el reloj de la nave dijo basta antes de llegar a destino, y las consecuencias fueron desastrosas.

Simone Guli, de 55 años, comandaba la nave desde 1924, para la tranquilidad de la compañía naviera, que confiaba ciegamente en la gran experiencia del marino, quien siendo adolescente ya se aventuraba en alta mar en las precarias embarcaciones del siglo pasado. Antes del "Mafalda", había estado al frente del "Duca degli Abruzzi", que en el momento del desastre se hallaba en Buenos Aires.

Crónica de un naufragio anunciado

Antes del último y fatídico viaje, el comandante Guli había hablado con el gerente de la compañía naviera, Gilberto Brunelli, para sugerirle que se cancelara el postrer viaje del "Mafalda" dado que el buque tenía averías importantes y las reparaciones no ofrecían una seguridad total para otra navegación de altura. Brunelli aceptó la sugerencia y ordenó la cancelación del viaje. Argumentarían una venta insuficiente de pasajes, proponiendo a los distinguidos viajeros de primera clase zarpar en el "Giulio Cesare", un transatlántico más moderno y equipado con mayor confort.

La mayoría de los pasajeros se mostró dispuesta al cambio pero, según revela el artículo escrito por Miguel Ángel Scenna en *Todo es historia*, un argentino, Luis Felipe Mayol, se negó terminantemente a aceptar la propuesta, pues hacía mucho tiempo que viajaba en el "Mafalda", al que se había acostumbrado y le merecía la mayor confianza. No es fácil cargar sobre sus hombros la responsabilidad de la ulterior tragedia, pero es un hecho que su negativa influyó para que el gerente cambiara de parecer y cediera a la petición del cliente.

El 11 de octubre, en horas del mediodía, el buque se preparaba para partir. Además de los 288 tripulantes, en sus magníficos interiores se habían alojado 62 pasajeros de primera clase (5 iban a Río, 16 a Santos y 41 a Buenos Aires); 83 pasajeros de segunda clase (10 con destino a Río, 20 a Santos y 53 a Buenos Aires) y 836 pasajeros de tercera clase, toda una multitud compuesta en su mayoría por inmigrantes con destino a Buenos Aires.

Guli se alisaba la pulcra barbilla lampiña con los dedos y dudaba, una y otra vez, dudaba. La hora de partida fijada había pasado hacía rato y los operarios continuaban febrilmente con las últimas reparaciones. La inspección del barco no lo había convencido de la sensatez de una nueva travesía, ya que los motores estaban al tope de su vida útil. Pero había recibido la orden de partir y no había desacato posible. A las 18, cuando el fastidio de los pasajeros por las cinco horas de demora ya se hacía oír, dio la orden de zarpada.

En el transatlántico viajaba también un abundante cargamento de oro, que el gobierno italiano enviaba al argentino, y una gran caja revestida con una faja que decía "Piezas mecánicas". Esta caja en apariencia inocente escondía en su interior toda una historia de mafias gubernamentales, relatada en un aparte al final de este capítulo. A esos valores se sumaban entre los pasajeros personalidades como el profesor Corrado Gini, de la Universidad de Roma, que viajaba a Río de Janeiro para dar una serie de conferencias; el doctor Cherubini, acaudalado médico mendocino; un representante de la casa Cinzano y dos marinos de la dotación de la fragata "Presidente Sarmiento", el cabo principal Juan Santororo y el conscripto Anacleto Bernardi. Ambos estaban convaleciendo de neumonía y se disponían a volver a la patria en un viaje de descanso.

Al momento de zarpar, Santororo y Bernardi observaron, entre los efusivos saludos de la multitud en tierra, un pequeño ejército de operarios que abandonaba el buque a último momento. Aunque los pasajeros comunes no lo advirtieron, ese detalle fue tomado por los experimentados marinos como una señal de que las cosas no estaban bien a bordo del "Mafalda", y que la demora no se debió a otra cosa que a averías en el barco.

No fueron los únicos en advertirlo. Un foguista salió a cubierta para cargar un enorme baúl que había sido embarcado a último momento. El baúl era tan pesado que el marinero no podía cargárselo sobre la espalda, de manera que lo empujaba hacia la bodega arrastrándolo por cubierta. La voz del segundo oficial de a bordo, Attilio Bocca, un nervioso piamontés de 37 años, no se hizo esperar. Desde la puerta de su cabina, le gritaba al foguista que estaba dañando la cubierta. Desde la cabina vecina a la de Bocca, se oyó entonces la voz de Silvio Scarabicchi, un marino nacido en Sampierdarena, oficial comandante de máquinas: "¡No importa, Bocca, no importa!"

—¿Ma cómo no importa? —preguntó Bocca exaltado—. ¿No ves que este torpe está arruinando toda la cubierta?

—Ma si, Bocca, ma si —balbuceó Scarabicchi, con un dejo de tristeza que sorprendió al otro—. Eso es lo de menos, ahora. En Génova nadie informó oficialmente del estado de las máquinas. Pero el inspector fue compañero mío de estudios y me dijo la verdad. Bocca, ¿te acordás del último viaje?

Bocca lo recordaba bien, demasiado bien. Al pasar por Gibraltar, la máquina de babor se había descompuesto y la habían reparado de milagro. De hecho, llegaron a Buenos Aires con un motor hecho pedazos.

—¿Sabés lo que me dijo el inspector? Esta vuelta salimos en peores condiciones, mucho peores que la última vez —confesó Scarabicchi.

Attilio Bocca, que sobrevivió al naufragio, narró durante años esta anécdota en los cafés de Génova.

Entretanto, en el sector destinado a tercera clase, los inmigrantes italianos comenzaban a penar el dolor de abandonar su tierra. Aún podía divisarse el puerto de Génova cuando los camareros les preparaban el plato de la noche, con el que solían amenguar la angustia de los pasajeros de menores recursos. Los que habían podido desembolsar 65 liras extra por sobre el precio del pasaje (300 liras) comían en una sala especial, preparada al efecto. El resto lo hacía en cubierta o en sus camarotes. Los que habían pagado para comer en la pequeña sala, sentados a una mesa, sabían que recibirían porciones más generosas. De estos últimos, la mayoría era siria.

Por su parte, los pasajeros de primera y segunda clase se cambiaban en sus camarotes para la cena inaugural de la travesía, en un salón que hacía veinte años había brillado por su lujo. Ahora, su pompa y su fasto no lograban esconder el paso del tiempo y su diseño dejaba que desear ante las nuevas exigencias de la moda. Como fuera, los pasajeros de primera estaban obligados vestir ropa medianamente elegante. Mientras tanto, Nellusco Rolla, el chef, cocinaba un exquisito pollo rotisado para la primera clase. "Comíamos siempre pollo porque se había roto la heladera", comentaría mucho después un sobreviviente con inclinación a las carnes rojas. La mujer más bella de la velada era una joven extranjera, Mina Bulter. Viajaba sola en uno de los dos departamentos de primera clase de que disponía el "Mafalda". Luego del naufragio, su padre intentó durante años, en vano, saber qué fue de ella. La muchacha viajaba a la Argentina para casarse. Se sabe que la mañana del 25 de octubre sintió que el alma le volvía al cuerpo cuando un joven de la primera clase, Giobatta Figari, le había devuelto un brazalete de oro y brillantes que ella había olvidado en el baño y creía perdido para siempre. ¿Habrá sido ésa su última alegría?

Ya iniciado el viaje, y mientras muchos pasajeros de tercera degustaban las viandas en su sector de cubierta, los problemas resurgieron enseguida. Por momentos, el barco se sacudía, especialmente en la popa, haciendo temblar techos, pisos, lámparas y muebles. Los pasajeros alojados en este sector debían convivir con un traqueteo por momentos insoportable, y muchos de ellos, en especial los que tenían experiencia viajera, empezaron a sospechar que el buque no estaba en condiciones. Ya habían dejado atrás el Mediterráneo cuando la máquina de babor dejó de funcionar. El comandante Guli ordenó detener el barco, que permaneció 6 horas inmóvil mientras se efectuaban los arreglos. Finalmente, ante la imposibilidad de resolver el problema, siguieron adelante con una sola máquina, navegando todo un día en esas condiciones, con la nave nueve grados escorada a babor. Consciente de la situación, Guli decidió cambiar el itinerario y en vez de dirigirse al puerto de Dakar rumbeó hacia el más cercano de San Vicente, en las islas portuguesas del Cabo Verde. A los pasajeros se les dijo que el barco necesitaba cargar carbón, lo que a esa altura logró engañar a pocos.

De Guatemala a Guatepeor

En San Vicente se unieron a la lista dos nuevos pasajeros, el doctor Luis Bulgarini y su hermana Elsa, ambos argentinos que habían sobrevivido de milagro al naufragio del "Matrero", ocurrido pocos días antes. Los Bulgarini estaban felices de poder arribar tan pronto a un buque con destino a Buenos Aires, después del infierno sufrido a bordo del "Matrero", cuyas calderas habían estallado en medio del Atlántico. Paralizado e incomunicado, el buque había quedado a la deriva en medio del océano, a merced de que una tormenta o la menor filtración terminara con todo el pasaje. Seis días más tarde, los visualizó un barco de origen italiano, que recogió a pasajeros y tripulación, depositándolos sanos y salvos en el puerto de San Vicente. Los Bulgarini narraron sus peripecias a los nuevos compañeros de ruta, que escuchaban horrorizados el relato, y daban gracias de estar a salvo en un buque tan seguro como el "Mafalda". Los comentarios sobran.

139

De acuerdo con las declaraciones que después del naufragio hizo David Campodonico, un pasajero de primera clase, el capitán Guli le había confiado su intención de interrumpir la travesía: "El pobre comandante Guli se refugió en la isla de San Vicente porque consideraba que la nave ya no estaba en condiciones de proseguir el viaje, y había radiotelegrafiado a la compañía armadora en Génova donde explicaba la situación y pedía el envío de otra nave para transbordar a los pasajeros". Lamentablemente su pedido no fue escuchado; el criterio económico prevaleció al de la seguridad y al del respeto a la vida. "Desde Génova le ordenaron seguir adelante —agregó Campodonico—, había prisa por partir de San Vicente. A la compañía le interesaba que el viaje se hiciese en el menor tiempo posible. En la isla sólo se cargó el carbón que la máquina averiada consumía en demasía, y se reemplazó la carne que se había podrido en las heladeras descompuestas." Evidentemente, tampoco hubo tiempo para probar las condiciones de los botes salvavidas, medida que por otra parte hubiera alarmado a los pasajeros.

Una vez recompuesta la máquina de babor, el buque dejó la isla y puso proa hacia las costas brasileñas comenzando el crucero atlántico. El traqueteo a babor seguía igual y los pasajeros empezaban a perder la paciencia. Flora Forciniti, una sobreviviente del naufragio, comentó: "La inclinación era de tal magnitud que por las mañanas no podíamos apoyar las tazas con el café con leche porque se volcaba el contenido. Todos los pasajeros estaban nerviosos, pero como nosotros viajábamos en tercera clase nos daban menos explicaciones. A medida que nos acercábamos al Brasil, los problemas se multiplicaron y en varias ocasiones detuvieron las máquinas".

En la primera clase los comentarios y discusiones estaban a la orden del día hasta que finalmente se decidió ir a hablar con el comandante, solicitarle que cancelara el viaje y los dejara en el puerto más próximo, debido a las grandes deficiencias de la nave. Ante la indecisión de algunos, tres pasajeros empezaron a juntar firmas para el petitorio, que por desgracia nunca llegó a manos de Simone Guli. Ciertos pasajeros consideraron que se trataba de una actitud ofensiva, que iba contra las reglas de disciplina y crearía enemistades innecesarias con la tripulación. Si ese petitorio le hubiese llegado a Guli, probablemente otra hubiera sido la historia. En efecto, el comandante seguía preocupado por el estado de la nave, pues la máquina de babor continuaba funcionando mal y por momentos dejaba de hacerlo por completo, escorando el barco y haciéndolo navegar en zigzag, lo cual reducía la velocidad de navegación. De haber contado con la negativa de los pasajeros a proseguir el viaje, hubiese tenido el argumento perfecto para interrumpir el crucero. De este modo, lo único que lo desvelaba era llegar a Río cuanto antes, no el 25 como se tenía planeado, pero sí uno o dos días después.

El 24 estaban a la altura de Porto Seguro, donde cuatrocientos años antes desembarcara Pedro Alvares Cabral, inaugurando la historia del Brasil. Un poco más adelantado que el "Mafalda", navegaba el "Alhena", un carguero holandés que venía de Rotterdam con destino a Buenos Aires. Al poco trecho Guli comenzó a transitar las peligrosas costas de Abrolhos. Dicho nombre no podía estar mejor puesto (Abre olhos: abre los ojos), pues la zona, con su millar de islas, islotes y rocas, tenía la fama nada gratuita de ser un sepulcro de buques. En 1927 las cartas de navegación de la zona no eran precisas y, a sabiendas de ello, los buques navegaban a una distancia prudencial del pequeño archipiélago.

Un coloso a la deriva

Sin embargo, eso no ocurrió con el "Mafalda", que avanzaba serenamente en la tarde del 25 de octubre, bajo un cielo completamente azul y el reconfortante sol tropical extrayendo destellos de las olas. Entusiasmado por el excelente clima, Guli dio la orden de aumentar la velocidad. Atardecía y algunos pasajeros paseaban por cubierta observando el paradisíaco paisaje, mientras las alegres tarantelas de la tercera clase inundaban de festividad la atmósfera del buque y en los salones las damas jugaban a la canasta y hacían rechinar las últimas copas antes de la cena. Los mozos tenían ya todo dispuesto en el salón comedor y los cocineros daban los últimos toques a las bandejas repletas cuando algo interrumpió la rutina. Eran cerca de las 19 cuando un estremecimiento sacudió toda la estructura del "Mafalda", que terminó inmovilizado en medio del mar. El silencio cobró por un momento todo el protagonismo mientras los pasajeros se miraban unos a otros sin saber qué hacer ni decir. Pero el desconcierto duró poco y al rato las preguntas y las corridas cruzaban el barco de lado a lado. En la segunda clase la histeria se agudizó y en la tercera se convirtió en miedo descontrolado. En los salones de primera apareció el oficial Francesco Moresco, quien llevaba instrucciones del capitán de explicar a los pasajeros distinguidos que una máquina había sufrido un desperfecto, el cual estaba siendo ya solucionado, y que no existía motivo alguno de alarma. Moresco hubiera preferido decirles la verdad, pero por otra parte estaba convencido de que en momentos tan críticos no había que romper la disciplina. Todos los viajeros de primera confiaron en las serenas palabras del oficial y se dispusieron a cenar mientras todo se arreglaba.

Mientras tanto, el capitán Guli esperaba noticias del carácter del accidente, que no tardaron en llegar: el árbol de la hélice izquierda se había partido, lo que ocasionó que la hélice, que en ese momento giraba a 93 revoluciones por minuto, saliera despedida como un boomerang y chocara contra el casco de la nave, abriendo una enorme brecha en las planchas metálicas. A través de la hendidura el agua estaba entrando a borbotones dentro del buque.

De inmediato Guli ordenó detener las máquinas y apagar las calderas. La avería era grave, pero el comandante estaba seguro de poder repararla en unas cuantas horas de trabajo. Sin embargo, como simple medida precautoria, ordenó arriar los botes y solicitar ayuda por radiotelegrafía.

Las sirenas estridentes de las alarmas rompían el aire perfumado del trópico y terminaban con la poca paz que quedaba a bordo. Moresco volvió a visitar a los pasajeros de primera para explicarles que se trataba de una medida de precaución, por la que sólo las mujeres y los niños deberían transbordar el barco mientras se realizaban las reparaciones. Todos aceptaron sus explicaciones y, a instancias del oficial, se aprestaron a terminar de cenar antes de obedecer el llamado. Parece que la comida estaba muy sabrosa.

En el subsuelo del buque, por otra parte, cundía una actividad febril. Unas tras otras eran colocadas chapas de acero y capas de cemento para cubrir la inmensa brecha abierta en el casco. Los tripulantes libraban al unísono una batalla contra el tiempo y la fuerza del mar. La tarea parecía concluida y los hombres observaban la obra bañados en sudor cuando una enorme ola producida por la presión del agua hizo estallar las planchas metálicas como si fueran de papel, inundando en unos segundos toda la sala de máquinas. Se había hecho todo lo posible, pero en vano. A partir de ese momento, el único destino del "Mafalda" era el fondo del mar.

José De Stéfano, un sobreviviente de tercera clase, narró así lo acontecido: "A las 17.15 oímos claramente, en dirección a popa, cinco fuertes golpes sucesivos, el último extraordinariamente sonoro. Después supimos que en ese momento se había desprendido el último trozo del árbol de la hélice de babor, golpeando violentamente en el casco y abriendo un gran rumbo. También con el último golpe advertimos que el 'Mafalda' viraba hacia babor. El accidente ocurrió muy poco después de uno de los simulacros de incendio que se realizaban a diario y por eso los pasajeros no dieron gran importancia a las señales de alarma."

La cuenta regresiva

El capitán Guli se percató de la situación y ordenó acelerar las tareas de salvamento. A pesar del inexorable naufragio, confiaba en que habría tiempo de sobra para poner a salvo a los 983 pasajeros y a los tripulantes antes de que el buque se hundiera, sobre todo por la proximidad de otros dos barcos que navegaban uno a babor y otro a estribor del "Mafalda". Estaban a 80 millas de la costa brasileña. La primera medida del comandante fue hacer cerrar todos los ojos de buey, a fin de retardar el hundimiento, pero al parecer la orden se cumplió sólo en parte. Lo cierto es que el hundimiento avanzaba más rápidamente que todos los pronósticos. El buque se sumergía de popa lentamente, pero la escoración a babor comenzaba a ser tan pronunciada que los muebles y estantes caían hacia delante destrozando todo su contenido, las copas rodaban de las mesas estrellándose en el piso y el miedo creciente de los pasajeros fue tornándose en pánico.

Mientras tanto, el telegrafista Luigi Reschia insistía sin parar: "S.O.S. Llamando a todos".

Estaba anocheciendo, la cálida brisa de la tarde se había transformado en un viento moderado que henchía las aguas, y la música de la orquesta había desaparecido para dar lugar a gritos, oscuridad, carreras a ciegas en cubierta, silbatos y sirenas ensordecedoras. Pero la gran tragedia del "Mafalda" comenzó en la tercera clase, donde se agolpaban aterrados 616 italianos, los 118 sirios que se habían embarcado en Génova luego de otro largo viaje marítimo desde Medio Oriente, los 50 españoles que habían abordado en Barcelona, 38 yugoslavos, dos austríacos, un suizo, un húngaro, un uruguayo y un argentino. A pesar de la mayoría italiana y del origen del buque, el malentendido y el pavor superaron todo intento de organización pacífica y organizada, de modo que de un momento a otro el caos se generalizó. Los desesperados inmigrantes perdieron el control, llenaron todas las cubiertas y desbordaron a toda la vigilancia. Por política de la compañía naviera, los tripulantes tenían prohibido portar armas, que en el caso que nos ocupa resultaban indispensables para poner orden en la situación. El error se pagó con creces. El pánico se había propagado a todo el buque.

Se estaban bajando los primeros botes cuando un hormiguero de inmigrantes se abalanzó sobre ellos haciendo a un lado a los marineros y zambulléndose unos sobre otros, hasta romper las amarras. Los botes caían al mar y hacían agua al instante por el exceso de peso, esparciendo en el mar a la multitud desvalida. Por si esto fuera poco, la tripulación se percató de que muchos de los botes estaban en mal estado, y los pocos que servían eran insuficientes para albergar a todos los pasajeros. Esta última falencia terminó de desencadenar el pavor general. Alrededor de cada bote salvavidas se producían luchas dignas de canes rabiosos, donde el costo de salvar la propia vida era terminar, cuanto antes, con la del otro. A la tercera clase se sumaron la segunda y la primera, la cual, olvidada de la cortesía y los remilgos, luchaba a brazo partido por una prioridad que había naufragado con el buque. Una excepción a la regla fueron el cabo Santororo y el conscripto Bernardi, quienes se presentaron ante Guli para ponerse a su disposición. Los dos marinos trabajaron a la par de la tripulación italiana hasta el último momento.

A todo esto, el comandante Guli comandaba enérgicamente el salvamento, megáfono en mano, con la serenidad de un lord, junto con su primer oficial, Francesco Moresco. En ningún momento de las dos horas que duró el hundimiento dejó traslucir signo alguno de alteración. Sin embargo, la alarma crecía ante el rápido hundimiento del "Mafalda" y la inminente oscuridad en que prometía dejarlos la ya vacilante instalación eléctrica.

El primer S.O.S. fue recibido al momento por el "Alhena", que navegaba a babor del "Mafalda", y el transatlántico inglés "Empirestar", que navegaba a estribor, rumbo a Londres. Ambos buques pusieron proa de inmediato hacia el buque en problemas, retransmitiendo a su vez el pedido de auxilio a otras naves. A unas 30 millas de distancia, dichas señales fueron recibidas por el "Mosella", de origen francés, y por el inglés "Rudby", que a su vez retransmitió el mensaje al "Rosetti", otro buque de bandera inglesa (a pesar de lo que sugiere su nombre) que se alejaba rumbo a Liverpool. Algo más tarde, el mismo mensaje fue captado por el barco francés "Formosa", que se dirigía a Buenos Aires y, a pesar de la gran distancia, por el "Avelona", que en ese momento navegaba a casi 300 millas del "Mafalda" con proa a Londres.

Sin dudarlo un momento, el "Avelona" dio media vuelta y se dirigió a toda marcha hacia el lugar de la tragedia. Una hora después de efectuada la primera transmisión de Luigi Reschia, el "Mafalda" se vio asistido por seis barcos que lo circundaban por todos los flancos.

El primer buque en llegar fue el "Alhena", que se acercó progresivamente hasta quedar a 100 metros del "Mafalda". El comandante holandés, Smoolenaars, observó la escena con su largavistas sin creer del todo lo que veía: el agua parecía sembrada de gente que se debatía como hormigas atrapadas en un balde de miel, los pocos botes que flotaban parecían a punto de rebalsar y estaban rodeados por decenas de personas aferradas a sus bordas. Algunos cedían por el peso y se hundían, desparramando a los náufragos en el agua. Sin perder un instante, hizo un llamado a los pasajeros para que colaboraran con las tareas de a bordo, mientras aprestaba a toda la tripulación para lanzarse al rescate. Por su parte, los pasajeros se mostraron más que dispuestos a colaborar, cubriendo todos los puestos auxiliares. Un minuto más tarde, una flota de botes se acercaba al lugar del siniestro y los marineros holandeses comenzaron a rescatar gente. Desde los botes se distinguía la linterna de petróleo del primer oficial Moresco. Las escenas de horror se sucedían sin pausa, poniendo lívido al comandante holandés, que al narrar los hechos refirió cómo un náufrago, luego de nadar sin descanso, logró aferrarse a un bote salvavidas, mientras un adolescente que nadaba detrás de él se aferró a su pierna, exhausto por el esfuerzo, y el náufrago, al sentir que algo hacía fuerza para hundirlo, se afirmó en el bote y le asestó un puntapié en medio de la cara, tras lo cual el joven desapareció bajo las aguas. Luis y Elsa Bulgarini fueron dos de los numerosos pasajeros rescatados por el "Alhena", un rescate harto merecido y meritorio, pues muy pocos son capaces de sobrevivir a dos naufragios al hilo, y uno de ellos tan espeluznante como el del "Mafalda".

A la entereza de algunos tripulantes se opuso la actitud de cuatro oficiales, que se hicieron de unos salvavidas y se disponían a saltar al mar, cuando un centenar de pasajeros, presos de furia y de terror, les adivinaron la intención. Bien cara pagaron su cobardía, pues al instante una marea humana se les arrojó encima y los despedazó en medio de un frenesí de violencia, hasta dejar cuatro cadáveres ensangrentados y apenas reconocibles, enredados en los restos ya inútiles de los salvavidas. También se dijo que, entre todos los pasajeros, los sirios fueron los más despiadados, y que se valieron de sus enormes cuchillos para arrebatarles a los demás su lugar en las chalupas.

El comandante Guli, mientras tanto, dirigía impávido y reconcentrado el trabajoso salvamento. Cuando avistó a la distancia que un nuevo buque se acercaba, pareció tranquilizarse aun más, extrajo su pipa y la encendió meticulosamente.

Los tiburones atacan

Fue *vox populi* que quien supo exactamente cómo proceder desde el principio fue el oficial Moresco. En realidad fue suya la orden de hacer abandonar la nave a los pasajeros, cuando Guli pensaba que no era aconsejable alarmarlos. Moresco provenía de una familia de marinos que se remontaba a varias generaciones. Su abuelo paterno lo había llevado a dar su primer paseo en velero a los tres años de edad, y su abuelo materno, Consiliere, fue el primer constructor naval italiano que erigió un buque de hierro.

Los problemas se agravaron cuando dejaron de funcionar las instalaciones eléctricas del "Mafalda", que repentinamente se vio a oscuras en la noche sin luna del trópico. Habían pasado las 20 cuando el "Formosa" llegó al lugar del siniestro. El comandante Allemard se acercó hasta casi tocar el "Mafalda", y mediante una diestra maniobra logró girar frente a la proa, quedando a 20 metros del barco. Allemard observó que la proa del "Mafalda" apuntaba hacia el cielo, mientras que la popa se encontraba ya completamente sumergida. Apuntando con los faros del "Formosa", parado en la proa logró divisar también al comandante Guli, quien lo saludó agitando su gorra en el aire.

El salvamento prosiguió a toda velocidad, ahora con la colaboración del buque francés. Aunque no ha sido ratificado, al ya dramático naufragio pareció haberse sumado la presencia inquietante de tiburones, peces que abundan en aquella zona del mar carioca. En un principio, luego de conocida la catástrofe, se habló de cardúmenes enteros de escualos engullendo a un sinnúmero de náufragos. Pero se sabe que los tiburones se alimentan preferentemente de carroña y no es usual que ataquen a los seres humanos (al menos eso opina la *National Geographic*). Sobre la capacidad de discernimiento que pueda tener un tiburón entre la multitud que se debatía en el agua es poco lo que se puede agregar. Lo cierto es que un tiburón se hizo al menos de una víctima: el cabo conscripto Bernardi. En el último minuto antes del hundimiento del barco, cuando la alternativa era arrojarse al mar o hundirse con aquella mole herida de muerte, Bernardi vio que un anciano vacilaba sobre la cubierta y le entregó su propio cinturón de corcho. Cuando se arrojó al mar, ya era demasiado tarde. En su diario, el oficial Santororo relató lo sucedido: "Nadábamos afanosamente. Bernardi iba a mi derecha, un poco retrasado. Llevaríamos ya unos cien metros de travesía cuando unos gritos escalofriantes, los gritos de un ser que se siente mordido y arrastrado hacia el fondo, dominaron un momento el rumor de las olas y se repitieron varias veces, cada vez más extraños y más patéticos. '¡Tiburones! ¡Son tiburones!' barbotó alguien a mi lado, de quien sólo alcancé a ver unos ojos desencajados y unas manos que desesperadamente parecían querer aferrarse a las olas. No tuve tiempo de recapacitar. Sentí que algo me arrastraba también a mí hacia el fondo del abismo. Empecé a tragar agua y creo que perdí la noción de las cosas. Tuve la sensación de apretar una masa viscosa que se escapaba de mis brazos, cada vez más inertes. Después, aquello que me llevaba hacia el fondo desapareció. Mis brazos volvieron a ser livianos. Ascendí cuatro, cinco metros. En la superficie aspiré una bocanada de aire que me dolió en los pulmones. Grité: ¡Bernardi! ¡Bernardi! Nadie me respondió. Estaba solo entre tinieblas. Bernardi había sido devorado por un tiburón".

Desde los otros buques, también fueron vistos restos humanos flotando en el agua; por su parte, Luigi Dapelo, un camarero de los suboficiales que sobrevivió al naufragio, aseguró a la prensa italiana haber visto "pescicani" (tiburones).

Sin embargo, la capacidad de los seres humanos para matar, aunque sea de modo indirecto, supera en mucho a la de los tiburones. En efecto, los tripulantes del "Mafalda", al llegar las otras naves, transbordaban a los pasajeros en cubierta hasta los buques próximos. Pero a esta altura el buque estaba a medio hundir y representaba un serio peligro para los botes salvavidas, cuyos remos solían quedar atrancados en los ojos de buey, invisibles bajo el agua. De modo que cuando regresaban, en vez de auxiliar a una nueva tanda, los marinos se trepaban a la cubierta semisumergida para quedar a salvo, abandonando en el mar los botes vacíos. Quedaban en el barco nada menos que quinientas personas, ¡y el tiempo apremiaba como nunca! Dado lo inminente del hundimiento, los pasajeros eran exhortados a arrojarse al agua para luego ser rescatados por los botes, pero el miedo había paralizado a todos y nadie obedecía. Santororo, cansado de gritar, llegó a empujar al agua a la gente. En un naufragio lo peor que puede hacerse es continuar aferrado a la nave que se hunde, a pesar de que el instinto gane a la razón dominada por el pánico.

El hundimiento

El holandés "Alhena", en un último intento, llegó a acercarse hasta quince metros del "Mafalda", pero, a pesar de la escasa iluminación, el comandante Smoolenaars advirtió la peligrosa escoración de la nave, que lo obligó a rodear la proa y situarse del otro lado, a fin de poner a salvo su buque.

Los últimos minutos del "Mafalda" se precipitaban y el salvamento continuaba a toda velocidad, gracias a la intervención de las tripulaciones del "Alhena" y del "Formosa". Pero los reflectores de estas dos naves resultaban escasos para penetrar la densa oscuridad y tener un panorama claro de la situación. Los comandantes le solicitaron entonces al capitán Guli que utilizara bengalas. El "Mafalda" sólo contaba con tres, una de cada color de la bandera italiana, las que fueron rápidamente lanzadas. La escena se tiñó entonces de rojo y luego de blanco y de verde, iluminando por segundos una escena digna del fin del mundo: más de la mitad del "Mafalda" había desaparecido bajo el agua, formando su proa un ángulo de 45° con la superficie marina, la cubierta repleta de gente, los botes cruzando a toda marcha la distancia hasta los barcos de rescate y en el agua racimos de gente luchando por sobrevivir. Era imperioso abandonar cuanto antes la cubierta del "Mafalda", pues al precipitarse el hundimiento se tragaría con él a todos los pasajeros. A los que quedaban en cubierta ya se les habían acabado los fósforos, único recurso a mano para ver lo que sucedía alrededor. La única luz a bordo era la tenaz linterna de Moresco, que se movía de un extremo a otro del barco siguiendo a su dueño.

Fueron muchos los tripulantes del "Mafalda" que trabajaron sin respiro hasta último momento. Entre ellos, el camarero Sadinas, el repostero Francesco Falco —rescatado a último momento por el "Mosella"— y el contador del barco Carlo Lombardi, gracias a quienes se salvaron muchísimas vidas. Los dos médicos del barco, doctores Giuseppe Lellis y Mario Figarolli, también lucharon hasta el límite de sus fuerzas para salvar al pasaje. Lellis logró arrojarse al agua en los últimos segundos, fue rescatado por el "Formosa", y luego continuó colaborando a bordo. Figarolli fue recogido por un bote del "Alhena",

148

y era transportado hacia el barco cuando recordó que había olvidado algo de valor en su camarote. Aunque intentaron disuadirlo de todos los modos posibles, el médico se arrojó al agua, nadó hasta el "Mafalda" y se perdió en su interior para siempre, pues jamás volvieron a verlo.

El mayordomo Angelo Prati, a bordo del bote número nueve, no sabía nadar. No bien tocó el agua, el bote cargado de gente empezó a hundirse. Prati, desesperado, atinó a aferrarse de la escalerilla de cuerdas por la que habían bajado el bote y logró subir nuevamente a bordo. Aún imbuido del espíritu de servicio y del respeto a las jerarquías, se apersonó al comandante Guli y le informó: "Mi comandante, el bote número nueve se fue a pique". Guli lo miró como a quien le ofrece un vaso de agua en medio de la tormenta, y le ordenó: "Vaya entonces a ayudar con el embarco de la tercera clase".

Los oficiales argentinos Santororo y Bernardi también se arrojaron al agua segundos antes de que el buque se precipitara bajo el mar, como ya lo señalamos, pero sólo Santororo sobrevivió para poder continuar con el salvamento, codo a codo con la tripulación de los otros buques. Entre los tripulantes del "Mafalda" se destacó el segundo oficial Attilio Bocca, cuya valerosa actuación salvó a nada menos que 450 personas, remando cuatro viajes a bordo de una chalupa.

El telegrafista Luigi Reschia y su ayudante Boccardi, luego de la impecable e ininterrumpida labor que posibilitó la asistencia de seis barcos, abandonaron la cabina de transmisión cuando ya era demasiado tarde. Tranquilos por la magnífica labor cumplida, se unieron al comandante Guli y esperaron los pocos segundos que restaban para la hecatombe. Reschia dejaba atrás en esos momentos a su esposa y a sus dos hijos, a quienes privaría de su presencia pero no del mejor de los recuerdos. Silvio Scarabecchi, director de máquinas, también se quedó a bordo. El capitán Guli le había pedido que se quedara a su lado, pero el maquinista prefirió encerrarse en su camarote y pegarse un tiro. Su cuerpo fue encontrado al día siguiente, con el cráneo traspasado por una bala. Fue sepultado en el mar, desde la chalupa que lo encontró. El mar se llevó también a muchos músicos de la orquesta del "Mafalda", entre ellos al contrabajista Usai, padre de cinco niños. Uno de los pocos sobrevivientes de la orquesta fue el violinista Bruschi. Algunos diarios de Génova, días después del naufragio, publicaron que el barco se había hundido mientras la orquesta tocaba la Marcha Real. Nada tan cercano a la historia del "Titanic" y tan lejano de la realidad del "Mafalda". A raíz de estos artículos, el Sindicato de Músicos de Génova preparó un homenaje con entrega de medallas para los sobrevivientes de la orquesta. En la ceremonia, Bruschi desmintió furioso el invento, pero los dirigentes trataron de convencerlo de que sostuviera la historia oficial. El violinista se opuso y a su turno se negó a recibir la medalla. Quizá le resultase imposible olvidar las espeluznantes escenas ocurridas en el "Mafalda", o el rostro de la viuda de Usai buscando a su marido en los muelles de Génova, escoltada por cinco niños.

Los últimos botes del "Alhena" se alejaban del "Mafalda" cuando la horrorosa tragedia se aprestaba a su fin. Antes de la hecatombe, Simone Guli, cuya mente registraba como un mecanismo de relojería cada estremecimiento del barco, ya convertido en parte de su ser, descargó toda su energía en el grito de "¡Viva Italia!". Llevándose luego su silbato a los labios, sopló dos veces desde la profundidad de sus pulmones, penetrando con el agudo sonido la negrura despiadada de la noche.

Un instante después las calderas del buque estallaban bajo la superficie del mar ensordeciendo a los espectadores, al tiempo que las aguas escupían chorros hirvientes alrededor del buque como si se tratara de un volcán, y devoraban el esqueleto de la nave entre una espesa humareda. La proa se clavó en el cenit y los gritos de las casi trescientas personas despedidas al vacío abrumaron a los testigos, que luego observaron atónitos la descomunal zambullida del "Mafalda" hasta que en su lugar no quedaron más que burbujas y silencio. Eran las 21.50 del 25 de octubre. En ese preciso instante morían 295 personas.

Los "enemigos de Italia"

El "Empirestar" había llegado poco antes del hundimiento y ahora se acercaba el "Mosella", con sus tripulantes listos y los botes desamarrados. El salvamento continuó con los que habían quedado en el agua, a quienes localizaban por los gritos de auxilio. El comandante Privat, del "Mosella", ordenó apagar todos los motores para poder ubicar a los náufragos. Decenas de personas eran subidas a bordo, casi sin aliento. Pero en el mar no había sólo gente, también flotaban restos del buque, maderas, ropa, piezas enteras de exquisitos mobiliarios, así como cadáveres y cuerpos mutilados, al punto que el capitán francés temió que se atascara su propio barco. En su cuaderno de bitácora anotó: "... a impulsos del viento se produjo con bastante rapidez tal mezcolanza de restos de toda clase, en medio de los cuales se distinguían cadáveres y cuerpos despedazados, que las embarcaciones no pudieron arrimarse a la borda para subir a los sobrevivientes. Nos vimos forzados, pues, a separar esos restos por medio de un movimiento de la hélice de babor".

Muchos sobrevivientes morirían luego de ser rescatados, a pesar del auxilio de los médicos, por el intenso esfuerzo y el shock emocional de la traumática experiencia. En el "Alhena", donde se encontraba el grueso de los náufragos del "Mafalda", sucedían cosas difíciles de describir y creer. Mientras los pasajeros y la tripulación trabajaban sin descanso, a riesgo de sus vidas, subiendo a bordo a cientos de náufragos, los tripulantes del barco hundido se negaron a cooperar, alejándose de la escena de los hechos. Visto el caso, no resulta fácil comprender la preferencia de la que el "Mafalda" solía gozar entre algunos viajeros, especialmente del argentino Luis Mayol.

Varias mujeres perdieron la vida, desplazadas por la desesperación de los hombres para subir primero; entre las que flotaban a salvo en las chalupas, muchas rezaban el rosario. Pero en particular, ha quedado en la memoria el autosacrificio de Nuncia Cipola, una adolescente italiana que se arrojó al agua desde un bote salvavidas para dar cabida a una mujer con su niño en brazos. Otra mujer salvó milagrosamente a su bebé después de luchar durante horas con el mar; al niño le habían practicado en Italia una delicada operación en la espina dorsal, y a pesar de las contingencias del naufragio, no sufrió consecuencias.

Finalizado el rescate, el "Alhena" tenía a 531 náufragos a bordo, el "Formosa" alrededor de 200, el "Empirestar" 180, el "Rosetti" 27 y el "Mosella" 22.

La tripulación y los pasajeros del "Alhena" donaron mantas, cuchetas, ropa y todo lo que tuvieron al alcance, pero el holandés era un pequeño buque carguero y los quinientos pasajeros extra lo habían sobrecargado. El telegrafista Marius Wentzel, que no se movió de su equipo durante horas, observó con sorpresa que su cabina era invadida por sobrevivientes exhaustos, necesitados de un lugar donde descansar. El "Alhena" había hecho todo lo posible, y casi lo imposible. Después de circundar el lugar del siniestro durante una hora más, el capitán Smoolenaars se dio por vencido y partió; era la una de la madrugada.

Los pasajeros del "Mosella" y del "Empirestar" que se dirigían a Europa fueron transbordados al "Formosa", que tenía destino a Bue-

151

nos Aires. Luego partió el "Rosetti" y finalmente el "Formosa", que prolongó los intentos de rescate hasta el mediodía del 26.

Gran parte del personal de a bordo y de los náufragos italianos de la tercera clase fueron confinados inmediatamente en la isla Flores, de jurisdicción argentina, para que no hablaran con la prensa. A los náufragos de la primera clase se les dio la recomendación de no decir una sola palabra sobre lo ocurrido que pudiera "favorecer a los enemigos de Italia", y se les pagó la estadía en el Palace Hotel. Por último, a los de la segunda clase, que fueron alojados en el hotel Avenida, simplemente se les ordenó guardar silencio. Las órdenes impartidas por las autoridades fascistas no hicieron más que proteger los intereses de la compañía propietaria del "Mafalda".

La tragedia concluyó de un modo conmovedor con el viaje inaugural del "Augustus", que partió de Génova el 11 de noviembre, mientras en Buenos Aires se embarcaban los náufragos del "Mafalda", que habrían de ser repatriados en el "Conte Verde".

El "Augustus", que tenía chimeneas blancas y negras como su hermano hundido, era la más grande motonave del mundo, con 32.000 toneladas. En su viaje inaugural siguió la misma ruta que el "Mafalda" en su última travesía. El comandante del flamante buque era Francesco Tarabotto. Durante cuatro años, entre 1920 y 1924, Tarabotto había sido el comandante del "Mafalda" al suceder al capitán De La Penne (del que había sido primer oficial), a Francesco Noera y a Vittorio Emanuele Parodi. Cuando Tarabotto dejó en 1924 el mando del "Mafalda", la compañía designó en su puesto a Simone Guli.

En un punto determinado de su viaje inaugural en pleno Atlántico, el "Augustus" aminoró la marcha y Tarabotto hizo oficiar una misa en cubierta. Ante los pasajeros y la tripulación reunidos, lleyó la lista de los oficiales que se hundieron con el "Mafalda". La voz se le quebraba al nombrarlos: Guli, Moresco, Becci, Scarabicchi, Mannai, Reschia... Algunos habían sido también sus oficiales.

Desde el "Augustus" fue lanzada una enorme corona en el momento preciso en que el buque se situó en los 17° 01' de latitud sur y 37° 47' de longitud oeste de Greenwich, punto exacto donde se había hundido el "Mafalda".

La caja secreta: el encargo del Duce o "una de misterio"

El dicho de que la realidad supera a la ficción ya es un lugar común, pero no por ello menos pertinente a esta historia paralela que sucedió a bordo del "Mafalda". Una década después de la caída de Mussolini en la Segunda Guerra Mundial, la prensa italiana se interesó por ciertos detalles confusos en relación con el naufragio del "Principessa Mafalda", y se puso en contacto con los sobrevivientes. Con muchos cabos sueltos recurrieron a los viejos archivos del gobierno fascista y se encontraron con grandes sorpresas. A partir de ese momento comenzaron las investigaciones sobre un negociado millonario que, subrepticiamente, tenía como escenario inicial al "Mafalda" y como primer protagonista, moviendo los títeres detrás de la cortina, a la figura del Duce.

Tal como anticipamos al comienzo del relato, en el barco viajaba una caja de madera, sellada con la inocente inscripción de "Piezas mecánicas". Estaba registrada a nombre de un pasajero que se había anotado como viajante de comercio. En realidad, se trataba del comisario de Seguridad Pública, Ferdinando Campera, que iba de incógnito. La caja no contenía piezas mecánicas sino una verdadera fortuna: 67 millones de liras; para tener una idea de lo que implicaba esta suma se puede hacer un paralelo con los daños económicos calculados por la pérdida del "Mafalda": alrededor de 50 millones.

El naufragio significó una terrible complicación para el comisario. Los cronistas italianos de la época salvaron la situación publicando que el "Mafalda" llevaba a Sudamérica 50 millones de liras en bonos del Tesoro, destinados al Banco de Italia y Río de la Plata. No era cierto. Campera sabía muy bien, pues había recibido instrucciones estrictas tanto en Roma como en Génova, que por ninguna razón debía trascender cuál era el contenido de la caja.

La misión le había sido encargada por el jefe de Policía Arturo Bocchini. Para entonces, Campera, de 40 años, comandaba la escuadra móvil de Livorno, y era considerado un policía brillante.

—Tengo buenas noticias para vos —le informó Bocchini—. Como gratificación por el éxito de tus últimos casos, te voy a mandar en una misión a América. La tarea es fácil y será un viaje placentero. Vas a salir de Génova con un encargo.

Campera regresó a Livorno, se despidió de Olga, su mujer, y de sus tres hijos, y partió rumbo a Génova para embarcarse en el

"Mafalda". Allí lo esperaba desde hacía unas horas el encargado del Débito Público. El encargo reservado fue embarcado en el "Mafalda" ante la presencia del comandante Guli, de un directivo de la compañía naviera y del gerente de la Banca d'Italia. Ferdinando Campera fue registrado con su verdadero nombre pero su profesión policíaca fue reemplazada por la de viajante de comercio.

Campera no estaba solo, viajaban con él otros cuatro policías, también registrados como viajantes de comercio: el mariscal Semino, los vicebrigadieres Buscarino y Piccione, y el guardia Campagna. Nadie a bordo dudaba de la verdadera identidad de los cinco sujetos, pero a nadie le preocupó el asunto.

El encargo reservado consistía en 67 millones en títulos del empréstito del Litorio, destinados a los representantes diplomáticos en Montevideo, Río de Janeiro, Santos y Buenos Aires. Por medio de estos títulos, los diplomáticos italianos con residencia en Sudamérica debían cumplir una delicada operación financiera por cuenta del gobierno italiano: vender determinada cantidad de títulos del empréstito a los potentados italianos que vivían en Brasil, Argentina y Uruguay, haciéndoselos pagar en las monedas locales. Cumplida esta extraña operación, la ganancia para el gobierno italiano consistía en obtener valores extranjeros sin exportar liras.

Campera, toscano de palabra y nostalgia fáciles, escribía largas cartas a su familia durante las horas muertas de la travesía. La última la despachó desde la isla de Cabo Verde. "16 de octubre. Continúan la averías en las máquinas, por lo que la nave se mueve lentamente (...) Esta tarde pasaron una película, nos proyectaron 'El vampiro'. A la noche arreglaron las máquinas y la nave anduvo veloz por un tiempo."

A su regreso a Italia, en un informe dirigido a Mussolini a través del jefe de Policía Bocchini, Campera escribió: "Una vez en pleno océano, la nave comenzó a dar señales de una marcha irregular, y más de una vez comprobamos que funcionaba una sola hélice. Incluso, inmediatamente después de la partida de Génova, el personal de a bordo había advertido que en el viaje precedente las máquinas no habían funcionado bien, por lo que el buque debió detenerse varias veces, retardando dos días su arribo a Italia".

En el momento del desastre, cuando todos los pasajeros luchaban por encontrar un lugar en los botes salvavidas, Ferdinando Campera pensaba con frialdad en la caja, en los 67 millones y en la necesidad de resguardar el secreto. Su figura reflexiva contrastaba con la gritería y las escenas de pánico que se precipitaban a su alrededor, como si su personaje estuviera en la película equivocada. Ni las mujeres ni los niños, para él lo primero eran los 67 millones. La imagen del gobierno italiano estaba en sus manos.

El informe de Campera continúa: "Me acerqué al comandante Guli, que daba órdenes desde el puente de mando. Le pregunté qué iba a suceder y me respondió: 'Comisario, se va a pique'. Al tanto de tan grave noticia, insistí en averiguar si podía poner a salvo la caja en un bote. Guli me respondió: 'Como guste, comisario'".

En efecto, aunque estaba perfectamente al tanto del contenido de la caja, Guli tenía muchas cosas en qué pensar en aquel momento. Su barco se hundía con él, eso era irreparable, pero las vidas de más de mil personas dependían de su serenidad de líder. Tomarse el tiempo de hablarles a todos, uno por uno, podía significar la salvación de muchas vidas, pues bien sabía que el pánico era un enemigo más irracional que el mar, que las brechas en el casco y que los tiburones. Esta actitud les posibilitó a Guli y a Moresco poner a salvo muchas vidas. Construyeron un castillo de certezas en medio del caos, al punto de que esas certezas se volvieron reales. A muchos sorprendió la actitud serena, falsamente optimista del comandante, sin que lograsen comprender su objetivo. En efecto, entre los pasajeros de primera clase hubo quienes se salvaron y quienes se hundieron con la nave, pero en general mantuvieron la calma hasta el último minuto.

Sin embargo, Guli también se hizo de tiempo para ocuparse de la caja secreta, aunque su elección no fue la más acertada. Destinó a Campera, a Semino y a la caja a un bote compartido con pasajeros de tercera clase, en su mayoría sirios. En pocos minutos, la chalupa hizo agua y los agentes se aferraron con desesperación a la caja. Pero era imposible retenerla entre el centenar de náufragos que se debatían en el agua, y la imperiosidad de salvar la propia vida se impuso. Campera consiguió un salvavidas, mientras que Semino se sostuvo con los restos del bote. Dos horas más tarde, eran rescatados por el "Rosetti".

Días después del naufragio, Campera y otros sobrevivientes regresaban a Italia en el "Conte Verde". Mientras a bordo del barco 224 náufragos del "Mafalda" saludaban con lágrimas al océano Atlántico y arrojaban una inmensa corona en el lugar de la tragedia, Campera divisó desde un bote lo que estaba buscando. Acunada por el oleaje flotaba la caja con la inscripción "Piezas mecánicas", la cual fue subida cuidadosamente a bordo por prestos oficiales mientras la orquesta hacía repicar las notas triunfales del himno nacional italiano.

155

"MONTE CERVANTES"
El barco que se hundió dos veces

e l "Monte Cervantes" fue construido en los astilleros alemanes Blohm y Voss, de Hamburgo, en 1927. Era un enorme buque destinado al transporte de pasajeros, que fue botado al año siguiente en un primer crucero por el Mar del Norte. En esa oportunidad, un violento choque contra un escollo lo devuelve derecho al dique de reparaciones. ¿Señal inequívoca de su destino o simple coincidencia? La respuesta depende del interlocutor.

La compañía alemana, por su parte, se decidió por la primera explicación y desplazó el barco a la línea del Hemisferio Sur, considerada de importancia secundaria.

En los años treinta los buques a vapor ya habían alcanzado su máximo desarrollo: eran veloces, seguros y muy confortables. Los cruceros de placer se habían puesto de moda en la Argentina, donde la considerable extensión de su territorio tornaba ideal este medio de transporte para los argentinos interesados en conocer su rica y variada geografía. Los barcos extranjeros comenzaron a promocionar viajes de una semana para conocer las costas patagónicas, los mares y los hielos del sur, hasta entonces sólo conocidos por marinos profesionales. El estrecho de Magallanes y la Tierra del Fuego eran los puntos álgidos de la aventura, pues sus tempestuosas aguas y las bajísimas temperaturas habían terminado con más de un navío desde los remotos tiempos del descubrimiento de esas costas australes. En 1949, casi veinte años después, las mismas aguas volverían a la primera plana de los diarios con el hundimiento del "Fournier".

Pero estas eventualidades parecían haberse disipado con el perfeccionamiento de los vapores y las cartas de navegación. De hecho, la creciente popularidad de los cruceros movió a la agencia Delfino a idear una travesía "económica" por el sur, al alcance de todos los bolsillos y sin distinción de clases: ésa era la gran novedad del "Monte Cervantes", un crucero de clase única, ahora denominada "turística", que era en realidad una tercera aderezada con mayor confort. El viaje a los canales fueguinos en camarote exterior, con ojo de buey y cuatro camas costaba 220 pesos por persona. Mientras que el precio por persona —sólo para caballeros— en camarote interno de ocho camas, valía 160 pesos. Ese dinero estaba al alcance de cualquier bolsillo de clase media (por entonces compuesta exclusivamente por docentes, profesionales y bancarios), y los mayores interesados fueron justamente los de la clase más intelectual, jóvenes maestros, profesores, investigadores y también algunas familias con su prole a pleno. En total, 1.120 pasajeros; a ellos se sumaba una nutrida tripulación de 380 marineros.

La travesía del sur

El 15 de enero de 1930 parte el "Monte Cervantes" con su entusiasta pasaje. Al parecer, en el barco imperaban los usos y costumbres germánicos, que imponían una disciplina sajona a los pasajeros. De acuerdo con el artículo "La excursión del 'Monte Cervantes'", escrito por Jimena Sáenz y publicado en *Todo es historia*, una diana despertaba a primera hora de la mañana a los pasajeros, instando con la voz del capitán y en traducción española:

"Dejad ya todos de dormir
que os despierta vuestro capitán
dándoos los buenos días,
dejad ya todos de dormir."

Según el mismo artículo, las comidas estaban establecidas con el mismo parámetro: "El desayuno en los largos comedores era el internacional impuesto por los sajones: jugos, tocino, huevos. A las 11 se servían canapés. El almuerzo y la comida eran típicamente germánicos a base de lomo de cerdo ahumado, 'kartoffeln', goulash y mucha cerveza."

Las veladas eran muy animadas y la numerosa juventud a bordo

157

bailaba el charleston y el foxtrot al ritmo de la orquesta del barco o jugaba a los naipes. No había cine a bordo —el cine mudo que se observaba de pie con el piano animando las escenas desde un rincón— porque era un viaje económico que no incluía tamañas excentricidades.

La primera escala fue en Puerto Madryn, por entonces menos habitada y aun menos hospitalaria que en la actualidad, donde los viajeros debieron recorrer a pie los parajes más atractivos haciendo frente a la ventisca helada y arenosa. La segunda escala fue el puerto chileno de Punta Arenas, ya bien al sur, ubicado al otro extremo del estrecho de Magallanes. La estatua del descubridor del estrecho fue uno de los atractivos. Pero la impetuosa presencia de los glaciares dejó boquiabierto al millar de turistas, que los contemplaron con admiración religiosa.

Finalmente, la última escala, Ushuaia, fue vista como lo que era: una pequeña ciudad de unos escasísimos 3.500 habitantes y con poco de interés para ofrecer. Sin embargo, poseía una atracción más poderosa que el imán de los glaciares: el renombrado y fantasmagórico penal de la zona, destino obligado de los delincuentes más temidos del país, en su mayoría con una condena perpetua sobre los hombros y, a partir de la década de 1910, también de los presos políticos.

El cielo puede esperar

El 22 al mediodía los porteños dejaban Ushuaia para emprender un descansado regreso a la ciudad. Pero los planes no resultaron de acuerdo con lo esperado. Dos horas después de la partida, a las 12.45, y mientras cruzaban las profundas aguas del canal de Beagle, entre las islas Eclaireurs y Depart, el buque fue sacudido por una tremenda colisión. En el salón comedor, donde la mayoría se aprestaba a degustar el exquisito almuerzo, un correcto camarero se fue de bruces al suelo desparramando el fiambre surtido y la ensalada de ave que un instante antes traía en una bandeja destellante. Pero no se había tropezado, el envión del barco lo tomó desprevenido. Comandaba el navío el capitán Theodor Dreyer, quien había indicado al práctico Rudolf Hepe "que se fuera a almorzar tranquilo".

"El barco había virado 90 grados cerca del faro Les Eclaireurs, y contrariamente a lo acostumbrado —pasar entre tierra firme y el faro por un estrecho de 20 kilómetros de ancho— enfiló hacia el sur. Nun-

158

ca se supo si ésa era la ruta marcada en las cartas de navegación u otra que el comandante Dreyer tomó por su propia cuenta", recordaría más tarde la escritora Fina Warschaver. "El caso es que en el momento del choque, la nave se inclinó a estribor de forma tal que la borda de ese lado quedó casi a ras del agua. Yo salí despedida hasta la borda y me aferré de la baranda, cuando un marinero que pasaba corriendo me tendió la mano para ayudarme. Casi simultáneamente, el barco se inclinó hacia el lado contrario y recuperó su posición normal. Sólo después del salvamento supe que había tenido lugar, en contados minutos, una hábil maniobra de rescate que permitió que la nave se encajara en las rocas del fondo del canal, impidiendo que se hundiera enseguida con todo el pasaje. Aquí tengo justamente la foto de la vía abierta por las rocas en la quilla del barco. Por ese boquete, de unos 20 metros, el agua penetró instantáneamente inundando las bodegas y los camarotes más próximos. Los que quisieron llegar a los camarotes de abajo se encontraron con un cuadro aterrador. Algunas mujeres, en una crisis de nervios, se aferraban gritando a la sotana de un sacerdote y querían rezar".

La nave de 14.000 toneladas comenzó a inclinarse a babor. El comandante Dreyer subió apresurado desde su cabina, abrochándose su inmaculado uniforme. El barco había encontrado en su camino una roca que, luego se sabría, no estaba marcada en las cartas de navegación de la época. El capitán ordenó al instante detener las máquinas y la orden fue terminante: "Arriar los botes de salvamento".

El pánico que comenzaba a cundir fue rápidamente superado. Los alemanes actuaban con la celeridad y eficiencia que los caracteriza, y las tareas de rescate ya estaban en marcha a los cinco minutos de producido el choque.

"En nuestros camarotes constaba en un cartel el número de botes de salvamento que nos correspondía en caso de naufragio, y el capitán Dreyer, días antes, nos había recomendado tenerlo en cuenta para cualquier emergencia. Eso nos ayudó mucho", comentó tiempo después el sobreviviente Armando Terraño. "Una hora más tarde", señaló, "todos los pasajeros se encontraban en los botes: los últimos en retirarse fueron los camareros, el médico y los músicos, mientras que a bordo permanecían el capitán, los oficiales y los radiotelegrafistas que enviaron el dramático pedido de auxilio."

La tarea parece abrumadora al considerar que en sólo una hora la tripulación alemana logró desembarcar y poner a buen resguardo en los botes salvavidas a nada menos que 1.500 personas. ¿Cómo lo lograron? La respuesta es casi obvia: con organización y previsión, cualidades preciosas que hubieran salvado miles de vidas en otros casos similares. Uno solo de los 28 botes tuvo problemas, el bote número 13.

El doctor Marcelo Fracassi tenía ese número de bote en la puerta de su camarote: "El día del naufragio yo tenía tres años y medio, pero hay una escena que nunca podré olvidar: nos tocó el bote salvavidas número 13 y cuando pretendieron botarlo se cortó la cuerda de sostén y cayó al mar como una bolsa de papas. Mi padre me tenía en brazos y éramos los primeros en abordarlo. Desde ese día todavía no sé si el 13 es yeta o suerte".

En todo caso, ni la superstición pudo con la eficiencia alemana. El salvamento fue impecable, no se perdió ninguna vida, ni siquiera hubo heridos.

Una estadía en el penal de Ushuaia

Mientras el capitán Dreyer hacía intentos desesperados por reflotar el buque, al que había logrado embicar entre dos rocas impidiendo que se hundiera, y mientras el telegrafista emitía urgentes pedidos de auxilio, los que dieron la voz de alarma fueron los presos de la cárcel de Ushuaia, que al ver el peligro comenzaron a gritar alertando sobre el hundimiento. Los carceleros pensaron al principio que se trataba de un amotinamiento, pero ante la insistencia tomaron cuenta del hecho. Inmediatamente recibieron los avisos los barcos de la Armada que había en la zona, y desde el puerto de Ushuaia partió en ayuda el buque "Vicente Fidel López". También se dijo que los marinos del buque argentino, al ver que el "Monte Cervantes" encaraba mal su rumbo, pusieron en marcha las máquinas inmediatamente por orden del capitán Mario Casari. Por ese motivo pudieron llegar enseguida a socorrer a los náufragos.

Pero era imposible para el "Vicente Fidel López" albergar a las 1.500 personas a bordo de los 48 botes. Muchos debieron remar por su cuenta hasta la costa y esperar allí. El pasajero Leonardo Cignoli señaló que fue ubicado en uno de los botes al mando de un oficial alemán que estaba enfermo, con casi 40 grados de fiebre. "Sin embargo —relató—, con calma me ofreció un remo y a pesar de que en mi vida nunca lo había hecho, comencé a remar para alejar el bote de la nave. Remamos más de seis horas hasta alcanzar la costa de Ushuaia.

Por suerte era un día de sol radiante, pero había mucho oleaje que dificultaba la marcha. En cuanto llegamos, el sacerdote Juárez García, que viajaba con nosotros, nos hizo arrodillar y rezar por haber sobrevivido. Después encendimos una fogata y algo repuestos atravesamos un cerro y llegamos hasta un aserradero donde nos ayudaron".

Los problemas vinieron después, cuando la pequeña ciudad de Ushuaia se vio superpoblada por 1.500 personas extra, equivalentes a casi la mitad de sus habitantes. Las provisiones eran escasas y venían de Buenos Aires, mientras que los presos tenían raciones que se renovaban anualmente. Los turistas dependían en un ciento por ciento de la buena voluntad de los lugareños, pues la mayoría no había tenido tiempo de recuperar algo de su dinero. Ante la creciente demanda, los precios dispararon hacia arriba y por una semana vivir en Ushuaia resultó carísimo. Todos los edificios públicos fueron invadidos por los forasteros: el penal, el correo, el Banco de la Nación, la iglesia, la prefectura y hasta la casa del gobernador. Los particulares donaron cuchetas, mantas y todo el abrigo disponible. Pero los más destacados a la hora de la solidaridad fueron los presos, que donaron la ración de comida de un día para alimentar a los hambrientos porteños y amasaron pan 24 horas seguidas, durante varios días, para que a nadie le faltara lo mínimo. La estrella del penal en ese momento era Mateo Banks, un estanciero de Buenos Aires que había conmocionado a los argentinos al asesinar a ocho miembros de su familia en un solo día. Claro está, no fueron pocos los turistas que buscaron conocer de cerca al monarca del horror.

Enrique Salvador Inda narró así su charla con Banks: "Sentía mucha curiosidad por conocerlo, nunca había tenido oportunidad de hablar con un asesino múltiple y la idea me asustaba y me atraía a la vez. Cuando lo tuve frente a frente, vi que era un hombre más bien bajo, de piel curtida, bien parecido y de unos cuarenta y cinco años. Me empezó a contar de las penurias que vivía en el penal, del clima inhóspito de Ushuaia. Se pasaba la mano por la barbilla y sonreía al recordar las bonanzas de antaño. Lo que más extrañaba era su copa del mejor scotch por las noches y el aroma del campo en el alba, cuando salía a inspeccionar la estancia. Todas las mañanas estudiaba el cielo detenidamente para ver cómo sería el día, algo totalmente inútil de hacer en ese paraje austral de un perpetuo cielo plomizo. Yo sabía por los guardiacárceles que era un preso ejemplar, amable y respetado por sus compañeros. De no haber sabido que era un asesino, jamás lo hubiera sospechado. Enfundado en su traje a rayas, lograba transmitir una gran calma y hasta tenía buen humor, como si estuviese más allá de todo, como si se hubiese despojado de todos los males posibles, de todos los odios y las miserias".

A su regreso, muchos sobrevivientes escribieron al entonces todavía presidente Hipólito Yrigoyen, para hacerle conocer la solidaria disposición de los presos. Al parecer algunos lograron que se les conmutara parte de sus condenas. Mientras tanto la cárcel daba techo a unas trescientas personas, que jugaban a los naipes y compartían las magras raciones del penal con Mateo Banks, Simón Radowitzky y otros presos ilustres. Aunque faltaban muchos años para que se impusiera el "turismo aventura", los pasajeros del "Monte Cervantes" pudieron paladear un más que sabroso adelanto.

El jueves 23 por la mañana, el capellán Miguel Killian celebró un oficio religioso en agradecimiento de las vidas salvadas, al que asistió un grupo compuesto por aproximadamente cincuenta náufragos, una delegación naval presidida por el capitán de navío Julio Risso e integrada por jefes, oficiales y personal de suboficiales del arma. Para sorpresa de todos, el capitán Dreyer no asistió.

La única muerte

Hacia el mediodía, el barco continuaba varado en su lecho de rocas, con el agua cubriendo casi el escobén, y con una hélice y el timón fuera de la superficie. Nada hacía presumir que se pudiese evitar el hundimiento, pero el capitán, que no escatimaba esfuerzos por salvar la nave, ordenó marcha atrás a toda fuerza con la única hélice sumergida, varando así el buque definitivamente.

El comandante no se resignaba. Todavía el peligro no era inminente y seguía abrigando esperanzas de evitar el desastre final. El buque daba la impresión de estar pivoteado sobre una roca, con poca estabilidad y próximo a flotar, lo que reanimó los ánimos del comandante y sus ayudantes. Se intentó entonces hacerlo zafar de su varadura remolcándolo, pero ese denodado forcejeo apenas conmovió la imponente estructura del barco. Autorizados por el capitán, los pasajeros decidieron ir a rescatar lo que fuera posible de sus pertenencias.

"Al día siguiente del naufragio," recordó la señora Magda de Marshall, "resolvimos recuperar nuestra ropa y en una goleta retornamos al barco. Hice una bolsa con una frazada y metí en ella algunas pertenencias personales y me llevé mis valijas. Nunca pensé que unas

162

horas después el buque se inclinaría aun más, hasta hundirse. Actué con tanta tranquilidad que hasta me traje de recuerdo la llave de mi camarote, que era el número 162".

Hacia las 19.30 se comprueba que aumenta el calado a proa, y que la inundación del buque es progresiva. Con lentitud, como si le pesara el desastre, el buque se va escorando a estribor hasta terminar apoyándose en el fondo del mar después de 32 horas de ansiedad y lucha. Antes del fin, y mientras el comandante alemán observaba derrotado los últimos destellos del sol en el mar, los telegrafistas habían hecho contacto con la compañía marítima, que para esos momentos enviaba desde Mar del Plata al "Monte Sarmiento" —buque hermano del "Monte Cervantes"— para rescatar a los náufragos.

Aunque todos los consultados fueron coincidentes respecto del eficaz desempeño del capitán antes y después del naufragio, su decisión de hundirse con el barco no podía ser una sorpresa. Él era el único responsable, pues gobernaba el timón en el momento del choque en lugar del práctico Rudolf Hepe. Luchó más de treinta horas para mantener a flote la monstruosa estructura metálica que le habían encomendado, de la misma forma como hubiera luchado para salvar de las aguas a su esposa y a sus dos hijas, que ahora desde Hamburgo no podían imaginar su silenciosa despedida.

"A último momento una comisión de voluntarios y algunos oficiales del buque solicitaron al capitán Dreyer de viva voz, desde un bote, que abandonara el buque porque éste estaba por hundirse en cualquier momento. Sin embargo, el capitán los saludó con la mano y se retiró hacia el interior. Segundos después, la nave se inclinó y se hundió con él. Dreyer había cumplido con una tradición de honor de los hombres de mar," narró la señora de Marshall.

Regreso a casa

El 28 de enero arribó a Ushuaia el "Monte Sarmiento". Los porteños, exhaustos de dormir en colchonetas durante cinco días y ateridos de frío por la falta de ropa, se lanzaron a abordar el barco. Para su sorpresa e indignación, los tripulantes alemanes observaron todas las normas burocráticas de un viaje normal, repartiendo boletos y clasificando los escasos equipajes, aunque muchos habían perdido hasta sus documentos. Mientras, un hormiguero de personas esperaba su turno en el muelle haciendo frente al gélido viento, lo que ocasionó algunos desmanes poco comprensibles para los impasibles germanos. La partida fue digna de una película del neorrealismo italiano: para la humilde población sureña significaba el fin de unas inesperadas festividades, en las que la adrenalina del peligro, las amistades fortuitas, las charlas jugosas y las novedades de "la capital" habían barrido con las rutinas de una existencia llana y humilde. A las 5 de la tarde, cuando partió el barco, comenzaron a sonar las campanas de la iglesia, mientras los lugareños saludaban desde los techos de sus casas y los barcos de la marina argentina hacían rugir sus sirenas como angustiados lobos de mar.

Según el artículo escrito por Jimena Sáenz, dos legisladores que formaban parte de la tripulación sacaron conclusiones importantes de la travesía: "Los diputados nacionales Manuel Bermúdez y Carlos Astrada preparaban proyectos para presentar a la Cámara. Con verdadero conocimiento de causa —una semana de estadía forzada sin ninguna comodidad— pretendían mejorar la situación de los presos del penal pidiendo al Senado 58.000 pesos para obras de mejora, como el camino a Río Grande, la fábrica que aprovecharía las caídas de agua, la Escuela de Artes y Oficios para favorecer a los condenados... (No sospechaban que a fines de ese año, 1930, varios conspicuos radicales serían enviados al mismo penal por la revolución de Uriburu)".

La señora María Casella de von Petery, a quien las imágenes del viaje le quedaron grabadas en la retina, comentó: "En 1939 volví a hacer el viaje por los canales fueguinos y pasé exactamente por el lugar del naufragio. No dije a nadie que yo había sido una de las personas que viajó en el 'Monte Cervantes' aquel infausto año de 1930, y escuché con gran asombro y en silencio las más fantasiosas narraciones sobre el naufragio. Pero ninguno de los que hablaban sabía que lo más extraordinario no había ocurrido durante el naufragio, sino después".

Quince años más tarde...

No es mucho lo que se puede aprovechar de un buque que ha permanecido hundido durante quince años. Sin embargo, Leopoldo Simoncini, fundador y nervio de la empresa Salvamar —que hasta 1944 sólo se había ocupado de salvamentos de poca envergadura—, soñaba hasta la obsesión con reflotar el "Monte Cervantes", ante todo para rescatar la maquinaria de un buque que, cuando se hundió, era casi flamante. Ese año visitó, acompañado del ingeniero Krankenhagen, el sitio del hundimiento, del que afloraba la popa del magnífico buque. La primera inspección del casco, practicada por un buzo, lo afirmó aun más en su propósito. Pero era necesario comprobar el estado de las máquinas, cuatro unidades Diesel M.A.N. de 6 cilindros, 4 tiempos, 1.500 HP en servicio normal y 2.000 de máxima.

Esta inspección fue la que decidió el reflotamiento del "Monte Cervantes" y la que justificaba los desvelos de diez años de trabajo continuo. Al practicar una abertura en la quilla a la altura de la sala de máquinas, observaron algo sorprendente: la carga de gasoil del buque (más de un millón de litros) preservó a las máquinas lubricándolas constantemente. Al tumbarse la nave sobre estribor, los depósitos de gasoil se volcaron en su interior, y como este combustible por su densidad flota en el agua, con el movimiento de las mareas se había producido esa operación tan simple y por medios tan naturales que posibilitó la conservación de las máquinas.

Las pruebas se sucedían casi diariamente, y cuando se acumulaban para tornar ventajoso el reflotamiento, comenzaron a surgir los inconvenientes: falta de personal especializado, falta de equipos apropiados para trabajos subacuáticos, necesidad de establecer un campamento en las inmediaciones del casco y otras.

Pero no había tiempo para vacilaciones. La empresa Salvamar solicitó y obtuvo el apoyo financiero del Banco Industrial y, en dos viajes a Europa, contrató personal altamente especializado y adquirió un equipo completo para ejecutar las tareas de reflotamiento.

Como primera medida se instaló un campamento en un islote rocoso, ubicado a sólo 200 metros del buque hundido. Un pueblo emerge en esas latitudes y una aventura común los contagia y mantiene unidos durante diez años.

En 1947 se dieron por concluidas las instalaciones del campamento. Los equipos llegaban con lentitud, pero de acuerdo con lo que se disponía, se iban realizando los trabajos.

Una voluntad inquebrantable de triunfar permitió iniciar las tareas previas de inmediato. Sobre el mismo casco del buque se instaló la primera base de buceo, y se fueron obteniendo prudentemente las primeras comprobaciones. El buque se encontraba casi completamente invertido, con la popa apoyando sobre el fondo y la proa completamente libre. La quilla —de popa a proa— emergía en una extensión de 60 metros. Se instaló sobre el casco una grúa de 25 toneladas, y a través de una abertura de 3 × 3 practicada en el mismo casco, se extrajo —desarmando pieza por pieza— un motor auxiliar Diesel M.A.N. de 650 HP en inmejorable estado de conservación. Del mismo modo se extrajo una dínamo Siemens Schukert de 320 kW. Ambos elementos serían luego adquiridos por las firmas Molinos Harineros Villa del Rosario S.A., de Córdoba, y Meteor S.A., de Zárate, respectivamente. Siguieron a estos hallazgos toda clase de objetos, herramientas, repuestos, vajilla de plata y hasta gran cantidad de botellas de champagne.

En 1950 se recibieron, de centros europeos, mayores refuerzos: equipos de buceo, compresores, bombas de achique y materiales para salvamento en general. El Banco Industrial renovó su apoyo y la empresa aumentó la dotación del personal especializado, en tanto que también adquirió en Alemania 42 grandes flotadores o cilindros de empuje con una capacidad de levantamiento de 50 toneladas cada uno.

Con esas adquisiciones, la empresa Salvamar, constituida con capitales argentinos, ocupaba por su potencialidad técnica, equipos y personal, el primer puesto en Sudamérica y uno de los primeros del mundo.

Durante dos años se trabajó intensamente: se taponaron miles de aberturas, ojos de buey, cañerías, comunicaciones interiores, mamparos, hasta convertir el buque en un gran casco hermético. Constantemente, estos trabajos eran sometidos a prueba insuflando aire comprimido para localizar alguna pérdida, alguna falla, cualquier debilidad de un parche, hasta que por fin llegó la hora ansiada del reflotamiento. El momento se hizo largo en el espíritu de un grupo de hombres que durante años desafiaron el rigor del clima austral, las incertidumbres y los desasosiegos en que los sumía esa tremenda mole metálica cuando las tempestades la agitaban en el fondo del mar...

Una presa indócil

El 5 de octubre de 1950 comenzó el último capítulo de esta arriesgada empresa. Se arrimaron al casco los grandes flotadores a los que, previamente, se llenó de agua. Realizados los amarres calculados y tendidos los cables hacia los remolcadores de la Marina de Guerra "Chiriguano", "Sanaviron" y "Guaraní" (este último sucumbiría también en un naufragio años después), se inyectó aire comprimido en

166

los cilindros que, al desalojar el agua, ejercieron una fuerza de empuje equivalente a cincuenta toneladas cada uno. El "Monte Cervantes", quilla arriba, surgió a la superficie con su casco cubierto de mejillones y restos marinos. El júbilo de los trabajadores conmovió a todos cuantos presenciaron el sorprendente espectáculo. El "Monte Cervantes" volvía imponente a la superficie, desafiando el paso del tiempo y su fatídico destino. Sus 160 metros de eslora se abrieron paso entre las aguas como la mole fabulosa de Moby Dick en la novela de Melville.

El 7 de octubre se inició el remolque hacia Ushuaia, bahía cuya protección garantizaba el proceso último de estabilización o adrizamiento. Pero casi a la milla de marcha sobrevino una nueva inquietud: el casco comenzó a escorarse levemente sin que se advirtiera ningún signo de pérdida de aire o rotura. Por precaución, se procuró llevarlo a un sitio de menor profundidad. Pero todo fue inútil. Comenzó a salir el aire del interior de la nave, ya con escora pronunciada, y en cinco minutos, promoviendo una agitación inmensa en las aguas, se hundió. El destino preservó, celosa y definitivamente, la morada mortuoria del comandante Dreyer.

Todos los grandes acontecimientos, aun en el fracaso, dejan un saldo positivo. Lo certifica la historia a cada paso y lo señala el más elemental sentido común. El reflotamiento del "Monte Cervantes" fue un hecho concreto y ejemplar, que demostró la capacidad de los elementos técnicos argentinos para encarar trabajos de gran envergadura. Las causas del posterior hundimiento pertenecen a la fatalidad, siempre presente. En efecto, no se rompió ningún mamparo —como se dijo en un principio—, porque un accidente de tal naturaleza hubiera provocado signos exteriores espectaculares. Hay dos hipótesis plausibles sobre las causas de este segundo hundimiento. Una es que hubiera saltado durante el trayecto alguna taponadura en las comunicaciones interiores de la nave. La otra se refiere a la posibilidad del desplazamiento de la carga de maíz y tanino que el "Monte Cervantes" todavía guardaba en sus bodegas.

Tampoco hubo sabotaje, como informara el diario *Clarín*. En esa publicación el periodista Malcolm Burke afirmaba que el buzo alemán Adolf Behrmann estaba detenido por sabotaje en perjuicio de los trabajos del "Monte Cervantes". La verdad era que Adolf Behrmann estaba procesado por hurto, o sea por haberse apropiado de utensilios y vajilla del transatlántico.

¿Cuál fue la conclusión de diez años de trabajo febril e ininterrumpido? La de haber concretado una experiencia inestimable para la época, un equipo magnífico de hombres que sentaron precedente para sus sucesores, y también el éxito técnico de haber reflotado un buque de diez mil toneladas en uno de los lugares más inhóspitos que se podían concebir.

Fue ese conjunto de factores lo que permitió tamaña aventura, especialmente en tiempos en que pocas empresas en el mundo habían logrado contar con tal cantidad de flotadores y equipos de buceo, cámaras de descompresión, equipos para descender hasta 300 metros, embarcaciones auxiliares, equipos cortadores y soldadores subacuáticos, además de una dotación de personal extranjero altamente especializado que en el transcurso de esos diez años fue formando nuevos técnicos argentinos.

En Inglaterra, en cuatro años de ataques submarinos durante la Segunda Guerra Mundial, las fuerzas de salvamento habían logrado rescatar buques con un desplazamiento de más de 5 millones de toneladas. Cuando los aliados tomaron Trípoli, por ejemplo, se hallaron con que la entrada del puerto estaba bloqueada por grandes buques que habían sido hundidos, y era imprescindible despejar el puerto en pocos días a fin de abastecer a los ejércitos que avanzaban. Marsella era un inmenso cementerio marítimo, con más de 200 buques hundidos en su puerto. Lo mismo puede decirse de Nantes, Le Havre, los ríos Elba y Rhin, así como los canales holandeses erizados de embarcaciones hundidas para evitar el movimiento de las tropas de ocupación. Las actividades de reflotamiento tenían en esa época cierta incidencia en la propia defensa de las naciones.

El equipo formado en torno del "Monte Cervantes" continuó durante varios años efectuando otros rescates de interés, a veces con gran éxito, y en sociedad directa con el Estado argentino. Sin embargo, el buque alemán que lo forjó aún descansa en las gélidas aguas del canal del Beagle, indiferente a cualquier otro hecho que no sea su prematura vocación submarina.

"CITY OF CAIRO"
Hundido por un gato

Un barco con dos puentes, dos palos, un peso de 8.034 toneladas y 137 metros de eslora fue botado en 1915 en los astilleros de Hull, en Inglaterra. Estaba destinado a servir a la compañía naviera Ellerman Lines.

En esos momentos, Gran Bretaña estaba abocada por completo en el esfuerzo bélico que le demandaba la Gran Guerra. Sin embargo, el "City of Cairo", tal el nombre con que bautizaron el buque nacido en Hull, estaba destinado a prestar servicios en la marina mercante.

Aquel año de 1915 había comenzado con un triunfo de la Armada británica, que otrora llevaba el calificativo de "Invencible". Claro que eran los tiempos del almirante Nelson. Aunque en el siglo XX los ingleses también seguían jactándose de tener el dominio de los mares. Así, el 24 de enero lograron un triunfo en la batalla naval de Doggerbank, donde hundieron el crucero alemán "Blücher". El combate se libró en el Mar del Norte.

Muchos años después, el 1° de octubre de 1942, el veterano y pacífico "City of Cairo", que nunca había participado en batalla alguna, estaba en un muelle del puerto de Bombay, en la India, dispuesto a zarpar rumbo a la madre patria, pasando por la vieja ruta del cabo de Buena Esperanza, en Sudáfrica. Rodeo obligado a causa de la guerra, a pesar de la existencia del canal de Suez, que acortaba ese tipo de viajes.

La Segunda Guerra Mundial era la gran protagonista del momento. Nadie podía ser ajeno a ella. Ese año de 1942 había comenzado con el Afrika Korps, las tropas alemanas que hacían la campaña

169

africana, comandadas por el mariscal de campo Erwin Rommel, arrinconado al oeste de Libia.

Muchos de los ingleses de religión judía que se embarcaban en el "City of Cairo" no tenían ni la idea más remota de que a comienzos de ese año los altos mandos nazis se habían reunido para darle un mayor impulso a la "solución final", tal el nombre que daban al exterminio judío.

Los alemanes, en tanto, tenían razones para seguir alimentando su odio contra todos los británicos. En marzo, la Real Fuerza Aérea (la célebre RAF) bombardeó la ciudad de Lübeck con la intención de derribar la moral de los civiles germanos.

Al mes siguiente, más de 60.000 soldados filipinos y norteamericanos se rindieron a los japoneses después de resistir un largo asedio en la península de Batán.

También en abril, los estadounidenses, como contrapartida, realizaron una audaz incursión aérea sobre Japón, el ataque realizado por el teniente coronel James Doolittle a raíz de una idea del presidente Roosevelt, como venganza del bombardeo a Pearl Harbour. En mayo los norteamericanos resultaron vencedores en la batalla del mar de Coral y en junio en Midway.

En tanto, los japoneses ganaban territorio en Singapur, Java y Birmania. Se contaban historias terribles sobre el trato que los asiáticos daban a los prisioneros.

En agosto, los norteamericanos comenzaron a realizar maniobras en las islas Salomón, con vistas a una gran batalla a librarse más adelante.

El mes anterior a la partida del "City of Cairo" había estado signado por los ataques aéreos contra Budapest y Königsberg, y de parte de los aliados contra El Havre, ocupado por los alemanes, contra Bremen y contra Birmania. Asimismo, tropas británicas habían desembarcado en Madagascar occidental, pero fracasó una tentativa de realizar un desembarco similar en Tobruk. Rommel seguía siendo el Zorro del Desierto, y no había inglés capaz de atraparlo.

Mientras, el 1° de octubre, el "City of Cairo" seguía esperando la orden para zarpar en el puerto de Bombay. Llevaba a bordo 150 tripulantes y casi la misma cantidad de pasajeros, en una tercera parte mujeres y niños. En la bodega transportaba un cargamento de algodón y manganeso. Pero a último momento llegaron unos camiones del ejército británico con fuerte custodia. Los vehículos se detuvieron en el muelle y unos soldados descargaron cerca de 2.000 cajas repletas de monedas. Sin embargo, era usual que los tesoros más importantes viajaran en los buques de apariencia más inocente. Exigencias de la guerra.

¿Quién controla los gases tóxicos del "City of Cairo"?

La primera parte de la travesía hacia Ciudad del Cabo fue lenta pero tranquila. El "City of Cairo" podía desarrollar una velocidad máxima de 12 nudos y sus motores producían un humo infernal. Ambos factores lo hacían sumamente vulnerable a los posibles ataques de submarinos alemanes. Las autoridades británicas de navegación sabían a la perfección que frente a Sudáfrica operaba un numeroso grupo de sumergibles del Eje, que ya habían ocasionado considerables bajas en las filas de los aliados. Sin embargo, no quedaba otra ruta, dado que la antigua del canal de Suez estaba atravesada por las flotas alemana e italiana.

La parte más riesgosa de la travesía era la zona comprendida entre Ciudad del Cabo y Recife, en Brasil.

La ofensiva alemana en el mar era apoyada sobre todo por la acción de sus submarinos de bolsillo, cuyo comandante general era el almirante Karl Doenitz. Su accionar se basaba en la táctica de grupo. Los submarinos eran empleados como si se tratara de manadas de lobos que iban en torno de una presa determinada. Era raro que un submarino se presentara solo, como en la guerra anterior, y diera con su objetivo por casualidad. Ésos eran festines muy especiales, en todo caso. La táctica fue presentada por Doenitz en su "Manual del comandante de submarino".

El "City of Cairo", no ajeno a esta información, salió de Ciudad del Cabo el 1° de noviembre, y siguió la costa del continente africano hasta llegar a una longitud de 23° 30' S, donde dobló hacia el oeste a través del Atlántico. Había pasado un mes desde su salida del puerto de Bombay.

En ese lapso habían ocurrido hechos de gran peso en el desarrollo de la guerra. El 23 de octubre se había librado la batalla de El Alamein, primera derrota del mariscal de campo alemán Erwin Rommel, el Zorro del Desierto, que hasta entonces había sido imbatible. En tanto, en Francia se vivía el oprobio de que el gobierno de Vichy, una marioneta de los nazis, enviara ciudadanos a Alemania a realizar trabajos forzados.

171

Mientras, el "City of Cairo" seguía su lenta navegación. No llevaba escolta protectora y tenía instrucciones de viajar en zigzag hasta llegar a zona más segura.

La guerra continuaba exitosamente para los aliados, ya que Madagascar, isla que hasta entonces había estado en poder del gobierno títere del sur de Francia, había pasado a manos británicas.

El 6 de noviembre la tripulación y los pasajeros comenzaron a respirar aliviados pensando que lo más peligroso había quedado atrás. Hasta entonces habían tenido una desagradable sensación al recordar las noticias del hundimiento del transporte británico "Laconia" por el submarino alemán U 156.

El U 68 en acción

Fue en este punto de la navegación del "City of Cairo" cuando el comandante de otro submarino, el U 68, Karl Friedrich Merten, que navegaba por la superficie, notó una densa columna en el horizonte. Y cómo no notarla, si el humo era más visible que el propio barco. Era uno de esos festines que por aquel tiempo raramente se le presentaban a un submarino solitario y ocioso, que apenas realizaba una guardia de rutina.

Merten no se había asombrado de que el servicio secreto del Reich restara importancia al desvencijado navío inglés, pero sí se extrañó de que los aviones Vorpostenstreifen que pasaban como rastrillos sobre el mar no informaran de su presencia a la flotilla de sumergibles.

No pudo saberse si el humo que vio el comandante del submarino se debía al problema que tenían las máquinas del "City of Cairo" al quemar el carbón o si provenía de una vela de azufre usada para ahuyentar a un gato que viajaba como polizón. Se supone que el felino abordó el barco en Bombay y logró esconderse en un bote salvavidas. Un miembro de la tripulación, que no estaba enterado de que molestar a los gatos trae mala suerte, y peor aun si se viaja en un barco bautizado con un nombre que rememora de alguna manera la tradición egipcia, tuvo la pésima idea de querer espantar al michino.

Una hora después de haber avistado la columna de humo, el comandante Merten decidió lanzar el primer torpedo contra el "City of Cairo", que lo perforó y destruyó una de las cajas con monedas de plata que viajaban en la bodega. El gato salió indemne.

No bien el barco comenzó a hacer agua, el capitán Rogerson ordenó a los pasajeros y a la tripulación abandonar ordenadamente el navío. Todas las mujeres y los niños fueron puestos a salvo y solamente hubo seis bajas.

Veinte minutos después del primer torpedo, pausa humanitaria para permitir la evacuación, el comandante Merten disparó un segundo misil, y el "City of Cairo" se hundió por la popa junto con su valioso cargamento de monedas.

El capitán del submarino alemán interrogó, como era costumbre, a los tripulantes de los botes más cercanos a su nave y los informó de su posición.

Había seis pequeñas chalupas abiertas y llenas de gente. Eran trescientos pasajeros para 6 pequeños botes. Uno de ellos estaba provisto de motor pero llevaba escaso combustible. Según la posición que había señalado el comandante del submarino que los había hundido estaban a más de 1.600 kilómetros de la costa africana y a doble distancia de la de Brasil, con la minúscula isla de Santa Elena al norte. La famosa isla en la que Napoleón Bonaparte había terminado sus días, envenenado, en 1821.

Baños de sol

El mayor problema para los náufragos consistía en encontrar la pequeña isla perdida en medio del océano. Para navegar, los sobrevivientes apenas disponían de un sextante, un reloj de excelente marca suiza, varias brújulas y un gato, que acaso ahora les trajera mejor suerte, ya que además de no molestarlo pensaban proveerlo de suficiente agua y alimento.

El capitán Rogerson ordenó que los botes se mantuvieran unidos, ya que ésta era la única garantía de supervivencia de todo el grupo a su cargo.

Los sobrevivientes del "City of Cairo" calcularon que llegarían a Santa Elena en dos o tres semanas. Sobre la base de esos cálculos racionaron el agua a 110 centímetros cúbicos por día, a pesar del terrible calor tropical y prácticamente en verano.

La única suerte con que contaron los náufragos, además de haber conservado la vida, era que el tiempo era excelente y no había temor de ser tomados por sorpresa por una tempestad. Sin embargo, las condiciones de vida a bordo de los botes eran deplorables. Iban atestados y hacían agua por todos los costados. La gente viajaba empapada, no tenían forma de hacer sus necesidades con una mínima privacidad, era imposible moverse un milímetro sin aplastar al pasajero sentado al lado y por la noche el frío se mezclaba con el agua que permanentemente entraba por las brechas.

En esos días, los aliados desembarcaban en África, con una fuerza expedicionaria al mando del general norteamericano Dwight Eisenhower.

A medida que pasaban los días el ánimo y la salud de los pasajeros empeoraban. Los niños eran los que se hallaban más debilitados. Algunos deliraban de fiebre como consecuencia de la insolación y la sed. A bordo de los botes estallaron discusiones acerca de quiénes debían ser beneficiados con ración extra de agua. Algunos defendían a los más debilitados y enfermos, y otros, los más, a quienes se mantenían fuertes y en condiciones de remar hasta encontrar la isla de Napoleón.

El 11 de noviembre, la unidad del grupo se rompió, y uno de los botes, el más rápido, que contaba con la ventaja de llevar a bordo buena cantidad de ex tripulantes del "City of Cairo" en condiciones de remar, se alejó para ir en busca de ayuda. En la noche del 12 de noviembre se perdió contacto con un segundo bote.

Ese día, mientras los náufragos del "City of Cairo" continuaban deshidratándose bajo los rayos del sol tropical, bastante lejos de allí, en las islas Salomón, los norteamericanos libraban las batallas de Guadalcanal contra los japoneses. Gran parte de la guerra en el Pacífico comenzó a definirse aquella jornada de fines de 1942. También ese día, en el norte de África, los aliados logran tomar Tobruk.

A la noche siguiente se cortó la racha del buen tiempo y se produjo una tempestad en alta mar y un mástil se desprendió del tercer bote. Una cuarta chalupa notó su señal de alarma y acudió en su auxilio. A la mañana siguiente, la pequeña flotilla de botes se había desintegrado y el capitán Rogerson era el único que mantenía contacto con el de vanguardia, del que todos dependían.

En las primeras horas de la mañana del 19 de noviembre, los náufragos del bote que había perdido contacto con el resto de la flotilla en la noche del día 12 vieron un buque en el horizonte. Encendieron bengalas y mandaron señales de S.O.S. Luego de unos minutos casi agónicos, la nave, el "SS Clan Alpine", viró hacia el pequeño bote y rescató a sus ocupantes. Casi todos vivían aún, pero estaban gravemente debilitados. El pasajero que se encontraba en mejores condiciones era el gato, al que sabiamente habían mantenido con vida.

Los tripulantes del "Clan Alpine" consideraron milagroso el hecho de que los sobrevivientes del "City of Cairo" pudieran orientarse tan bien, puesto que les faltaban apenas 80 kilómetros para llegar a la isla de Santa Elena.

Esa misma mañana, el "Clan Alpine" rescató a los sobrevivientes de otros dos botes. Sus ocupantes ya habían avizorado las montañas de Santa Elena, pero se les ahorró la necesidad de atravesar sus aguas costeras, que tenían fama de ser harto peligrosas. No por nada se la usó como cárcel.

La cuenta regresiva

De los 166 ocupantes de los tres botes, 16 habían muerto y otros dos fallecieron después en la tétrica isla donde pasó sus últimos días Napoleón.

El mismo día, los del cuarto bote fueron vistos por otra nave británica, el "SS Bendoran". De los 55 que subieron a aquella chalupa, 47 aún vivían, a pesar de estar deshidratados. El "Bendoran" los transportó a Ciudad del Cabo. Durante la travesía de regreso los sobrevivientes del "City of Cairo" sufrieron aterrorizados el temor de que volviera a aparecer otro submarino alemán en el horizonte.

En el quinto bote iban apenas 17 personas. Habían calculado que llegarían a Santa Elena el 20 de noviembre. Pero el 23 ya habían fallecido varios de los ocupantes de la precaria embarcación, y los que quedaban prácticamente no tenían esperanzas de sobrevivir sin agua ni alimentos. Estaban seguros de haber pasado la fatídica isla y, en vez de virar en un vano intento por descubrirla, decidieron seguir hacia el poniente, rumbo a la costa del Brasil, que estaba a otros 2.400 kilómetros de distancia.

La idea era demasiado ambiciosa o bien podría considerarse el delirio de un grupo de náufragos afectados por el sol. Lo cierto es que el grupo estaba en el límite entre la vida y la muerte cuando fue rescatado, el 27 de noviembre, por el buque brasileño "Caravellas". Sólo les faltaban 130 kilómetros para llegar a la costa sudamericana, pero los sobrevivientes apenas eran dos. De ellos, uno tuvo la poco feliz idea de regresar a Inglaterra viajando primero a los Estados Unidos. Era el miembro de la tripulación que había intentado espantar al gato. El buque en que viajaba a las islas fue torpedeado por otro submarino alemán y todos sus pasajeros se ahogaron. El otro sobreviviente tuvo la suerte de negarse a viajar en barco hasta que terminara la guerra, y se quedó en Brasil, donde se estableció y formó una familia. Nunca volvió a Inglaterra.

En tanto, el gato que se salvó en el "Clan Alpine" desarrolló una vida tranquila, al margen de la guerra, en la isla de Santa Elena. Como era pequeño y tenía algunas mañas, los británicos residentes en aquel punto perdido en el océano lo bautizaron Napoleón.

"FOURNIER"
Errores que matan

E l rastreador "Fournier" se sumó a la Fuerza Naval Argentina el 13 de octubre de 1940. Contrariamente a la mayoría de los barcos que integraban la Marina, se trataba de un barco "nacional", construido en el país, en el astillero Sánchez y Cía., ubicado en San Fernando, provincia de Buenos Aires. El barco recibió el nombre de "Fournier" en honor al marino francoitaliano del mismo nombre que fuera pionero de la Armada argentina.

En marzo de 1949 el comando del barco quedó en manos del capitán de corbeta Carlos A. Negri. Tenía 33 años, pero a pesar de su juventud contaba con una amplia experiencia en navegación. El segundo comandante era el teniente de fragata Luis H. Lestani, de 28 años.

En agosto de ese año, el "Fournier" se desempeñaba como buque de estación en Ushuaia, patrullando los canales fueguinos a modo de rutina, cumpliendo funciones de apoyo a la Base Naval de Ushuaia y eventuales tareas de salvamento. Respecto de estas tareas, el "Fournier" tenía una historia destacada. Había rescatado de una tormenta al remolcador "Olco", empujándolo hasta la Base Naval de Puerto Belgrano, y poco después participó del rescate del velero chileno "Cóndor", por lo que era considerado, y con razón, un barco plenamente capaz de soportar las traicioneras aguas de los mares del sur.

Embarcado a la fuerza

En setiembre de ese año, el "Fournier" partió de Ushuaia hacia Río Gallegos, en cumplimiento de tareas de rutina, con sus 76 tripulantes y dos pasajeros extra que se habían sumado a la expedición. En efecto, el doctor Raúl E. Wernicke, suegro del capitán, y su hijo Julio, estudiante de medicina, habían decidido sumarse a la comitiva para realizar investigaciones. El doctor Wernicke era un célebre físico y químico, además de un profesor reconocido y aún recordado de varias facultades. En ese momento era vicedecano de la Facultad de Agronomía y Veterinaria en la Universidad de Buenos Aires. Padre e hijo pretendían encontrar especímenes de fauna marina en las costas australes. Así como el destino quiso que a último momento se salvaran los tenientes de corbeta Álvarez y Valenti y el marinero Baima, que por distintos motivos no pudieron participar de la expedición, todas las trabas que las autoridades pusieron para evitar el embarque del científico y su hijo fueron vanas. El capitán Negri le había prometido a su suegro un viaje al sur en cuanto se hiciera cargo del "Fournier". Pero cuando llegó el momento, comenzaron los inconvenientes. Wernicke y su hijo encontraron impedimentos para embarcarse en dos escalas sucesivas del trayecto. Finalmente, consiguieron recibir los pasajes cuando el barco de guerra se encontraba en Río Gallegos, luego de seguir su itinerario por avión. También en ese punto se encontraron con inconvenientes, que fueron finalmente solucionados y lograron embarcarse. Desde Río Gallegos, el doctor Wernicke y su hijo Julio escribieron una carta a la señora de Negri con un mapa en el que habían dibujado el itinerario futuro del barco. Esa carta y el mapa servirían días después al Ministerio de Marina para orientar la desesperada búsqueda. La esposa del capitán Negri, Martha, había dado a luz hacía dos meses a la segunda hija del matrimonio, María Inés. El 9 de agosto oyó por última vez la voz de su esposo que la llamaba desde la base para anunciarle la misión del "Fournier". Pero Martha Wernicke de Negri no sólo perdería a su marido, sino también a su padre y a su hermano Julio.

"Todavía no entiendo cómo mi papá pudo insistir en que Julio se embarcara con él", declaró Martha Wernicke, "sabiendo que aún no estaba curado de su fiebre reumática. Mi papá era muy entusiasta y aunque mi hermano no tenía ganas de ir porque no se sentía en condiciones, él consideró que un viaje de tres días no podría empeorar su salud. Tenía 23 años y estaba en quinto año de medicina."

Aunque no lo dijo expresamente, Martha dejó entender que su padre era bastante autoritario y que sólo a él le cabía la responsabilidad de la muerte de su joven hermano. A casi 50 años del hecho, el perdón no parece haber encontrado cabida en ella; por el contrario, su memoria continúa en carne viva.

Martha se enteró de la desaparición del buque a través de los diarios el 28 de setiembre. Recién cinco días más tarde, el 3 de octubre, le llegó un tardío telegrama del Ministerio de Marina. Durante esos días su desesperación crecía ante la incertidumbre de ignorar lo que les había ocurrido a sus familiares. "Un agregado naval chileno", recuerda Martha, "se sinceró conmigo y me dijo: 'Señora, no hay esperanzas, el barco se ha dado vuelta y las posibilidades de supervivencia son ínfimas. La inmensa mancha de petróleo que descubrimos no deja lugar a dudas'."

Pero lo que resulta más inquietante son dos cartas que el comandante Negri le envió durante viajes anteriores al mando del "Fournier": "Mi marido tenía una foja sobresaliente y estaba muy entusiasmado con su nueva designación. Por nada del mundo hubiese denegado su puesto, aunque las condiciones no fueran ideales. Pero en dos oportunidades me había escrito que el barco rodó tanto que casi se vuelca. Era un barco muy chico para navegar en una zona donde había olas de veinte metros."

Una decisión equivocada

Para llegar a destino el "Fournier" podía elegir dos caminos: el mar abierto, o introducirse por los canales del estrecho de Magallanes. El rumbo elegido fue el segundo, pues se suponía que era más seguro por el escaso tonelaje de la nave y por su poca potencia mecánica respecto de los grandes barcos de guerra. Luego de su trágico naufragio, se dijo que la nave no era apta para cubrir el trayecto harto peligroso al que estaba destinada. Sin embargo, el "Fournier" no era menos poderoso que la mayoría de las naves con que se contaba en esos tiempos. Tenía 59 metros de eslora, 7,30 metros de manga y una capacidad de desplazamiento de 554 toneladas. Estaba equipado con dos cañones, cuatro ametralladoras antiaéreas y tenía una velocidad máxima de 16 nudos. Su antigüedad no llegaba a los diez años y formaba parte de una flota de naves modernas, conformada por los rastreadores "Spiro", "Seaver" y "Comodoro Py", incorporados entre

1937 y 1938, que hacían de la Marina de Guerra Argentina una de las primeras de Sudamérica.

En el momento de buscar responsabilidades, no resulta fácil atribuirlas a un factor preciso. Lo único que se puede decir con certeza es que en parte se debió a aquello que llamamos "destino". Aun así, al considerar el trayecto elegido, vemos que la azarosa fatalidad no carece de cierta lógica, por la cual el desencadenamiento de un hecho está compuesto de decisiones, en las que siempre caben otras alternativas.

En el dudoso día de la primavera de 1949, a las 7.40, zarpó el barco dispuesto a internarse por el intrincado estrecho de Magallanes, pasando por territorio chileno, con destino a la Base Naval de Ushuaia. El barco se introdujo en la primera Angostura del Estrecho, donde se encuentra el faro Punta Delgada: "Cruzamos frente a Punta Delgada... Sin novedades...". Ése fue el último mensaje que emitió el telegrafista del rastreador "Fournier". Eran las 16.35. La unidad M4 de la Marina de Guerra Argentina recibió ese último contacto, respondiendo a su vez con un escueto: "Comprendido".

Siguiendo su derrotero, ya entrada la noche, cruzó frente al faro San Isidro, el que, según se confirmó con posterioridad, no observó su paso. El faro estaba instalado en el estrecho, a unos 90 kilómetros de la ciudad chilena de Punta Arenas y su radio de acción abarcaba unos 4 o 5 kilómetros, de modo que cualquier embarcación que navegara más allá de esa distancia no era registrada. Esto era con seguridad algo frecuente.

El pronóstico del tiempo para la madrugada, según las informaciones del Servicio Meteorológico, no era precisamente favorable para la navegación. Se avecinaban vientos del Noroeste con una velocidad de 40 kilómetros por hora, y nevadas y chaparrones hasta el día siguiente. La visibilidad era de 2 a 4 kilómetros y la temperatura estaba por debajo de 0°C. En cualquier momento podía desatarse un temporal.

Ya en la mañana del 22 de setiembre cundía cierta alarma en la Base Naval de Ushuaia, pues el "Fournier" no respondía a los mensajes que se le enviaban. Aún nadie se animaba a imaginar la catástrofe, por lo que se atribuyó la falta de respuesta a algún inconveniente momentáneo que impedía a la nave comunicarse con la base. Quizás estuviera fondeada en una de las numerosas caletas del estrecho.

El 23 de setiembre, al no registrarse noticias del rastreador que ya debía haber llegado a destino, el Ministerio de Marina dio a conocer un comunicado de prensa que, con pocas palabras, anunciaba que el "Fournier" "se había retrasado". La alarma fue inmediata, a pesar de que se trataba de un viaje de rutina. La zona era peligrosa por los vientos y las corrientes la surcaban. Anteriormente, el estrecho había dado cuenta del buque de guerra "Piedrabuena", del transporte "Ushuaia" y del lujoso paquebote "Monte Cervantes".

Por lo que pudo presumirse, cerca de las 4 de la madrugada del 22 de setiembre el "Fournier" enfrentó su última hora dramática. Escorado por el viento, posiblemente una gran ola pudo haberlo dado vuelta sin conceder siquiera la mínima posibilidad de salvación a los 76 tripulantes y dos pasajeros. Otras especulaciones, que no descartan la vuelta de campana, refieren que una roca pudo haber producido un boquete en el casco, determinando el rápido hundimiento del rastreador. Nunca se sabrá a ciencia cierta.

La opinión pública se enteró del hecho por los diarios el 29 de setiembre, cuando el Ministerio de Marina difundió un comunicado de prensa que decía textualmente:

"Buques y aviones de la Marina de Guerra se encuentran empeñados desde el domingo 25 en la búsqueda del rastreador 'Fournier', que zarpó el día 21 de Río Gallegos con destino a Ushuaia por la ruta del Estrecho de Magallanes y Canales Fueguinos, travesía que normalmente se cubre en tres días. El paso del 'Fournier' fue registrado el día 21 a las 16.30 horas por la 1ª Angostura. La muy mala visibilidad reinante en la zona dificulta grandemente la búsqueda, conjeturándose que el rastreador, con averías en sus máquinas e imposibilitado de usar sus equipos radiotelegráficos, se encuentra fondeado en alguna de las numerosas caletas de los canales, no descartándose la posibilidad de que haya sufrido un accidente de navegación. El Ministerio de Aeronáutica, en un gesto digno de particular reconocimiento, ha ofrecido su valiosa cooperación en la tarea de la búsqueda del rastreador 'Fournier'."

Por petición de la Armada Argentina, el patrullero chileno "Lautaro" comenzó a colaborar en la búsqueda. Pero no fue ése el único esfuerzo del gobierno de Chile, que ofreció también aviones de su Fuerza Aérea asentados en sus bases de Punta Arenas y Yendegalla. El 28 el patrullero "Lautaro" informó a la Base Naval de Ushuaia sus vanos intentos de dar con el "Fournier".

Una gran mancha de aceite

A pesar de las malas condiciones climáticas de la zona y de la niebla constante, que representaba un serio peligro para los aviones, se realizaron diversos vuelos de reconocimiento. De la Base Naval de Río Gallegos partieron cuatro aviones de la Armada, a los que les fue permitido sobrevolar territorio chileno. Era el 29 de setiembre y había transcurrido ya una semana desde el último contacto con el rastreador.

Ese mismo día, el jefe del apostadero naval Punta Arenas notificó que dos aviones de la Fuerza Aérea chilena pudieron ver, en la entrada del canal Magdalena, frente al canal San Gabriel, una gigantesca mancha de aceite, cuyo origen no fue determinado. Dicha información, sin embargo, no pudo ser confirmada por naves argentinas.

El 1° de octubre, el "Fournier" era buscado por el transporte "San Julián", el rastreador "Spiro", los remolcadores "Chiriguano" y "Sanabirón", el buque hidrógrafo "Bahía Blanca" y la fragata "Trinidad", todos buques medianos o pequeños. Hacia el lugar se dirigían también las fragatas "Hércules" y "Heroína". El frío en la zona era riguroso (entre 1° y 2°C bajo cero al nivel del mar, y unos 20°C bajo cero en las alturas en que volaba la aviación). Ese día se supo también que el "Fournier" llevaba un cargamento de pólvora y explosivos, pero se descartó una posible detonación pues se trataba de un cargamento corriente, insuficiente para provocar una catástrofe. Se advirtió que la nave poseía víveres para tres meses y que otras embarcaciones accidentadas en esa zona habían logrado subsistir. En efecto, no era el primer buque que naufragaba en el lugar. En marzo de 1899, el transporte "Villarino" sufrió una avería y comenzó a hundirse en la bahía de Camarones, Santa Cruz. Sin embargo, no llegó a sumergirse por completo, pues había quedado encallado entre las rocosas costas, lo que permitió la supervivencia de todos sus tripulantes, e incluso el rescate de la valiosa carga que transportaba. Un caso similar fue el del transporte "Piedrabuena", que se hundió vertiginosamente en la caleta La Misión al chocar con una roca que no aparecía en la carta naval del puerto. Su casco quedó igualmente semihundido, lo que permitió el salvamento de toda la tripulación y los pasajeros y, con la cooperación de otros barcos, el rescate —a pesar de los 8°C bajo cero— de la carga que transportaba.

Por su parte, el "Ushuaia" encalló en 1912 en los canales de Tierra del Fuego, al navegar rumbo a la isla de los Estados. El accidente se debió a la espesa niebla, que al dificultar seriamente la visibilidad provocó que el navío se estrellara contra una piedra, la que abrió un inmenso boquete en el casco. Afortunadamente, no hubo víctimas. El último gran accidente en estas zonas fue el del buque de pasajeros "Monte Cervantes", en 1930. El buque quedó encallado cerca de Ushuaia, pero de manera tal que los 1.500 pasajeros que llevaba a bordo lograron salvarse. Una vez salvados todos los pasajeros, y luego de realizar infructuosos intentos de rescatar la nave, el valeroso capitán del "Monte Cervantes" permaneció en la cabina de mando y se hundió con el barco.

Confirmación del naufragio

"Se ha hundido el rastreador 'Fournier' " gritaban desde sus tapas todos los diarios argentinos del 4 de octubre. El informativo N° 203, difundido por la Subsecretaría de Marina, a cargo del capitán de navío Aníbal O. Olivieri, decía textualmente: "El rastreador 'Fournier' naufragó en Punta Cono, a la entrada del canal Gabriel, 60 millas al sur de Punta Arenas. Pobladores de la región han encontrado dos botes en la costa. Tres buques de la Marina buscan náufragos en las inmediaciones. La nave hundida ha sido vista desde un avión, confirmándose de esa forma la noticia de su naufragio. Por otra parte, el hallazgo de botes, de elementos pertenecientes al buque y de un cadáver que no ha sido identificado, en las cercanías de Punta Cono, certifican la triste realidad del accidente. El Ministerio de Marina ha dispuesto el envío de elementos de buceo para poder llegar al casco de la nave hundida, y ha destacado comisiones formadas por el personal de los buques que participaron en las tareas de la búsqueda para que recorran la costa en procura de posibles sobrevivientes".

Por su parte, el informativo N° 204 incluyó la lista de la tripulación y los dos pasajeros, presumiblemente muertos, incluyendo por error al maquinista Baima, que había dejado la nave en Río Gallegos, aquejado de una fuerte apendicitis, justo antes del mortal episodio. Otras informaciones del Ministerio de Marina y las llegadas de Chile refieren el hallazgo de botes vacíos y restos de madera del barco. También pudieron verse tres tripulantes sobre una balsa, en la caleta Zig-Zag, supuestamente muertos. El lugar donde se hallaron dichas evidencias coincidía con el sitio donde los aviones chilenos habían visto, el 29 de setiembre, una gran mancha de aceite: la entrada del canal Magallanes, a 20 millas del faro San Isidro.

Características de la zona

La multitud de accidentes geográficos que existen en el estrecho de Magallanes lo hacen particularmente dificultoso para la navegación. De allí que deba ser recorrido tomando las mayores precauciones, no obstante ser una zona puntualmente cartografiada. La tierra en esta zona austral del continente da la impresión objetiva de un desplazamiento producido por un cataclismo. Esto explicaría la pronunciada irregularidad y el afloramiento de rocas que imponen a los buques un derrotero zigzagueante. Al iniciarse el crepúsculo vespertino, los navíos se dirigen al refugio costero más próximo dadas las irregularidades mencionadas, pues hay cientos de bahías y caletas. Allí deben permanecer fondeados hasta que el amanecer permita reanudar la marcha. La isla Dawson, frente a cuya Punta Cono naufragó el "Fournier", se halla dentro de los límites de la provincia chilena de Magallanes, que administrativamente está constituida por tres departamentos: Última Esperanza, Magallanes y Tierra del Fuego. La isla Dawson forma parte de este último, cuya capital es la ciudad y puerto de Porvenir, ubicada en la isla Grande. Dicho departamento tenía en aquella época unos 3.000 habitantes, de los cuales la mitad vivía en la capital y el resto diseminado en haciendas próximas. En esa zona el clima es muy riguroso. La temperatura pocas veces se eleva por encima de los 0°C y son constantes las nevadas, densas neblinas y tormentas. Los vientos constantes hacen que la mayoría de los árboles estén inclinados. Las claras aguas de los canales que rodean la isla Dawson tienen, en su punto medio, una profundidad máxima de 450 y 530 metros. La pérdida del buque se produjo en las proximidades de Punta Cono, un accidente geográfico de la isla situado a 54° 10' de latitud sur y 71° de longitud oeste.

Dificultades de la búsqueda

Como se ha expresado, el clima fue el principal factor que obstaculizó la búsqueda. La densa niebla planteaba dificultades insalvables a los aviones, que sólo podían efectuar veloces vuelos de reconocimiento antes de retornar a sus bases. El mar embravecido era otro impedimento, el cual ocasionó que algunos barcos debieran buscar refugio hasta que las condiciones mejoraran. El caso del rastreador "Spiro" provocó gran alarma, al enviar un S.O.S. Se había visto obligado a varar en la bahía Fitton, pero fue localizado rápidamente por aviones Catalina, que fueron raudamente en su auxilio. Por fortuna no le sucedió nada.

Pero el ambiente de tensión que lo inesperado del siniestro había provocado en la opinión pública generó una serie de rumores periodísticos erróneos. De la conjetura de la explosión del "Fournier" se pasó al buque "Almirante Brown". Una noticia proveniente de Bahía Blanca difundió que las calderas del buque habían explotado, provocando varios heridos. La versión fue desmentida por el mismo barco que llegó, al día siguiente, sin el menor daño a la Base Naval de Puerto Belgrano. Pero no quedaron allí las cosas. Un avión civil se internó en la zona del accidente, lo cual estaba terminantemente prohibido. La consecuencia fue que se incendió y terminó estrellándose, provocando la muerte instantánea de su tripulante.

La zona donde se hundió el "Fournier", por sus bajas temperaturas y la gran profundidad submarina, hizo imposible el hallazgo del casco, que quedó para siempre en el fondo del mar. Por tal motivo no fue posible determinar la causa exacta del hundimiento de la nave, si bien todo lleva a pensar que se hundió al chocar con una roca no marcada en la carta, en medio de un temporal, o que fue escorado por una ola sin tener tiempo para enderezarse, lo que provocó la vuelta de campana del buque.

En cuanto a los cuerpos, muy pocos fueron recuperados. El primer cadáver que se encontró pertenecía al segundo comandante, el teniente de fragata Luis H. Lestani. Se lo reconoció únicamente por la ropa que conservaba. Los pobladores de la isla Dawson encontraron otros ocho cadáveres en botes salvavidas, muertos por el intenso frío. Con las bajas temperaturas de la madrugada del 22 de setiembre, la supervivencia calculada para un hombre desprotegido era de 20 minutos. No se encontraron quemaduras en ninguno de los cadáveres, por lo que quedó descartada la versión de la supuesta explosión.

Los cuerpos hallados en el bote correspondían al comandante, capitán de corbeta Carlos Negri; al suboficial segundo de mar, Ramón Chávez; al suboficial segundo electricista, Ernesto P. Rodríguez; al cabo principal señalero, Juan C. Luca; al marinero primero torpedista, Manuel González; al marinero primero electricista, Eliberto Oscar Bulo; al marinero primero señalero, Valerio F. Galeano, y al marinero segundo maquinista, Miguel Lucena. Uno de ellos tenía su reloj pulsera detenido a las 4.20, por lo que se supone que el accidente ocurrió alrededor de las 4 de la madrugada del 22 de setiembre. Evidentemente, fue todo tan repentino que sólo pudieron apartarse del barco en salvavidas los hombres que se encontraban en ese momento en el puente de mando. Quizá la fuerza misma del encontronazo los haya despedido. No hubo tiempo de tomar decisiones. A pesar de las informaciones periodísticas que afirmaron lo contrario, nunca se pudieron hallar los cadáveres del vicedecano de la Facultad de Agronomía, Raúl Wernicke, ni de su hijo Julio.

El país despide a las víctimas

La fragata "Heroína" tuvo la triste misión de traer a Buenos Aires los cadáveres de los ocho marinos rescatados. Desde la madrugada del 14 de octubre se había reunido en la dársena A del Puerto Nuevo una inmensa multitud, silenciosa y acongojada. Cuando entró en la dársena la fragata, muy lentamente, se pudo ver que los féretros estaban alineados en cubierta envueltos en la bandera de guerra.

Cerca del amarradero de la "Heroína" se encontraban apostados el guardacostas "Pueyrredón" y el barco escuela de la marina española "Juan Sebastián Elcano", con sus tripulaciones formadas. Al pie de la nave, el presidente de la Nación, general Juan Domingo Perón, y su esposa, Eva Duarte, venían a dar el último saludo a las víctimas, tras haber suspendido el 12 de octubre anterior los festejos del Día de la Raza.

Otro cuerpo llegó prácticamente en forma simultánea por vía aérea, y los nueve ataúdes fueron alineados frente al muelle. Uno de ellos fue descendido de la fragata por los marineros del buque "Juan Sebastián Elcano", que había llegado el 2 de octubre desde España, como una manera más de expresar su solidaridad con el dolor de los argentinos y su respeto por los que murieron en cumplimiento de su deber. En la dársena estaba presente también el ministro de Marina, Enrique B. García, otros jefes militares y un impresionante contingente militar. Entre el incontable gentío no faltaban los parientes de los difuntos y ciudadanos comunes que venían a manifestar su dolor y su solidaridad, de modo que la multitud se prolongaba por varias cuadras llegando casi hasta Retiro, y extendiéndose como un reguero hasta el lugar donde se realizaría el velatorio: la Escuela de Mecánica de la Armada.

Era un día gris y lloviznaba constantemente. El discurso del ministro de Marina recalcaba la valentía de los marinos y el espíritu de cuerpo, disciplina y organización que fueron puestos a prueba en la esmerada búsqueda del rastreador. No omitió reconocer a su vez la estrecha colaboración brindada por Chile.

Por el decreto N° 5094/50, del 7 de marzo de 1950, y por decreto del Ministerio de Marina del 16 de enero del mismo año, se declaró ausentes con presunción de fallecimiento a los tripulantes "desaparecidos", considerándose que todos habían fallecido en acto de servicio. Como un homenaje a los muertos y un recordatorio del naufragio, se plantó un grupo de árboles en las cercanías de la autopista que se dirige al aeropuerto de Ezeiza, dispuestos de tal manera que forman la palabra "Fournier", en recuerdo de César Fournier, magnífico corsario y oficial de la Armada, que peleó en la guerra contra el Brasil a las órdenes del almirante Brown. Sobre su homérica historia y la extraña relación que lo une con el barco que nos ocupa, dedicamos un aparte a continuación.

La historia secreta de César Fournier

El 20 de setiembre de 1828 moría cerca de La Florida, Estados Unidos, César Fournier, a causa de un terrible temporal que hizo naufragar su corbeta "25 de Mayo" y el resto de su flota. La forma y fecha de su muerte llaman la atención por la analogía con la del barco bautizado en su honor. En efecto, el mes de setiembre marcaría una y otra vez no sólo la vida de este corsario indomable, sino también, a 121 años de su muerte, el destino del famoso rastreador.

Las peripecias de Fournier no son aún lo suficientemente conocidas como para que los argentinos lo coloquen al lado de hombres como Brown. Sin embargo, sus arriesgadas intervenciones han legado glorias pocas veces repetidas.

El padre de César Fournier pertenecía a la nobleza de Francia, hasta que la revolución lo arrojó fuera de su tierra natal. Radicado en 1793 en Livorna, Italia, se desposó con una mujer de la sociedad italiana. De ese matrimonio nació, poco después, César. Educado en Livorna, siguió la carrera de marino. En 1821 debió emigrar a Fran-

187

cia por razones políticas, y fue entonces cuando se puso en evidencia su carácter "de una energía y un valor a toda prueba, dominado por una ambición de gloria tan ilimitada como encomiable", según detallan sus biógrafos. Era, además, de una franqueza y lealtad rayanas en la abnegación, y era capaz de sacrificarse a sí mismo para servir a sus amigos.

A los 26 años compró una polacra, "La César", y salió rumbo a Buenos Aires. Llevaba como pasajeros al italiano José Manera, que viajaba con su esposa y su cuñada, Cristina Gatti, con quien se casaría Fournier el 15 de diciembre de 1824 en la iglesia porteña de Monserrat.

En esos precisos momentos el gobierno argentino había contratado los servicios de Francisco Fourmantin para que ejerciera, con el "Lavalleja", el corso contra la navegación imperial del Brasil. La guerra contra el Brasil estaba en marcha, y era necesario enviar algunos buques hasta las costas patagónicas a fin de capturar a los marinos enemigos y traerlos al Río de la Plata. Fue Fournier quien con su polacra salvó la situación. Se dirigió al sur, y como el trámite se demoraba se internó en la caleta Valdés para arreglar su buque. Al salir, tocó una piedra y el buque se fue a pique. Sin embargo, el valiente marino no se desanimó (no sería ése el único barco que hundiría en su vida), dejó en la costa los restos del naufragio, sorteó un violento temporal y, en un bote improvisado, llegó hasta Patagones en busca de auxilio. Una vez recuperado, volvió a poner a prueba sus conocimientos al regresar hasta donde estaban sus compañeros en un buque que había apresado Fourmantin, quien no había estado ocioso.

Hospedado con sus camaradas en casa de Ambrosio Mitre, un poblador de Patagones, Fournier se vio en problemas. Discutió con un oficial del "Lavalleja" y el incidente derivó en un duelo. Luego de hacer todo lo posible por evitarlo, lo aceptó y mató a su rival de un disparo certero. Su autoridad comenzó a ganar respeto entre sus camaradas.

De vuelta en Buenos Aires, Vicente Casares le entregó la goleta armada "Profeta Bandarra" y salió con ella por Río Grande, donde se hizo de algunas presas brasileñas y atrajo la atención de dos buques imperiales, que empezaron a perseguirlo. Para eludirlos —porque era audaz pero no irresponsable— se aproximó demasiado a tierra y fondeó con tanta mala suerte que, durante la noche, su contramaestre, confiando en la pericia de su capitán, largó el ancla y provocó que la goleta se estrellara contra la costa. Pero Fournier no se amedrentó: algunos marineros ocuparon el único bote disponible y él los siguió a caballo hasta Maldonado. En el camino se encontró con un tigre, del que se deshizo en un santiamén con un certero disparo. Llegó a Maldonado casi al mismo tiempo que los suyos y se dedicó personalmente al arreglo de una vieja lancha varada. El 21 de setiembre —su mes cabalístico— de 1826, con su mísera embarcación y sólo 24 marineros, se lanzó al abordaje de uno de los navíos imperiales que había fondeado en la zona, y logró ocuparlo en una épica hazaña luego de herir a su comandante. Pasó audazmente entre los buques bloqueadores, entre Montevideo y Banco Chico, y el 26 de setiembre ya se encontraba frente a Buenos Aires, a la que saludó, exultante, con las 21 salvas de rigor. Poco después, su presa, la "Maldonado", fue adquirida por Rivadavia en 20.000 pesos y destinada al servicio. Gracias a Fournier, la nave se luciría más tarde en Juncal, con sus dos piezas giratorias de 24, sus tres carronadas de a 12 por costado, sus municiones y sus 76 héroes.

El 11 de octubre de 1826, Fournier salió de Buenos Aires rumbo a Colonia en una goleta, perseguido por cuatro buques de guerra brasileños. Ante la imposibilidad de huir, dirigió su barco sobre la costa 4 leguas al sur de la plaza, frente a la isla Matamoros. Desembarcó todo el armamento, el equipaje y tres balleneras, viendo cómo uno de los buques enemigos, intentando maniobrar para apoderarse del botín, varó sobre una punta de piedra y se hundió con sus ocho cañones, silenciados para siempre por las aguas. Fournier cargó sus balleneras y armamentos en carretas y llegó por tierra de nuevo a Maldonado, cooperando con Olivera en la defensa de la plaza, hasta noviembre de 1826.

En febrero del año siguiente el gobierno de las Provincias Unidas le extendió su despacho de sargento mayor del Ejército, al servicio de la Marina, y lo comisionó para hacerse a la mar con un buque crucero. A pesar de la estrecha vigilancia brasileña —entre los comandantes enemigos ya se había consolidado su fama de "inalcanzable"—, Fournier emprendió la travesía.

Desembarcó en Los Castillos y capturó al lobero inglés "Florida", que estaba burlando las leyes internacionales. Esta captura le trajo algunos inconvenientes y debió abrirse para eludir la acción de la corbeta inglesa de guerra "Ranger", que quería capturarlo. Pero este viraje terminó favoreciendo su tarea, ya que en su recorrido hizo trece presas brasileñas, que envió al río Salado.

Debido a la captura del lobero "Florida", debió someterse a un consejo de guerra por presiones del ministro inglés Ponsonby, en el

189

que se lo declaró inocente. Antes de decidirse el fallo, Fournier, por encargo del gobierno, partió en la barca "Congreso", la mejor de la flota. Nunca una barca tan buena tuvo mejor comandante. Haciendo gala de una osadía sin par, cruzó el cabo Frío, sobre la misma boca de Río de Janeiro, e inició una de las más brillantes campañas de corso de que se tenga noticias. Sostuvo una serie de encuentros de alto riesgo con buques enemigos, abordó numerosos mercantes, en los que se aprovisionó, y apresó a otros. Se mantuvo en acción desde setiembre —mes en que sus maniobras provocaron el asombro de propios y enemigos— hasta diciembre de 1827, cuando, después de haber forzado el bloqueo del Plata, encalla con la "Congreso" y el bergantín "Arminia Dos Anjos", que había capturado cerca de la ensenada. Al día siguiente de su encalladura incendió los barcos para evitar que cayeran en manos de un enemigo varias veces superior. Al parecer, Fournier era un experto en eso de quemar las naves.

El 10 de diciembre de 1827 fue ascendido a teniente coronel, y al mes siguiente se le otorgó el mando de la "Juncal", con la que zarpó para un crucero frente a las costas enemigas. Allí logró apresar el bergantín "Homero", de construcción norteamericana, armado con 16 cañones y al que rebautizó como "Dorrego". El 29 de marzo de 1828 llegó a Baltimore. Equipó en esta ciudad el "Dorrego" y armó la corbeta "25 de Mayo", trasladándose con ambos a Nueva York, desde donde zarpó para su postrer viaje el 12 de setiembre, mes en el que entró definitivamente en la historia de los argentinos.

Tocó con su escuadrilla Rhode Island, y los tres barcos, el "25 de Mayo", "Juncal" y "Dorrego", naufragaron en medio de un temporal arrasador. Así fue como terminó, inconclusa y truncada por la fatalidad, la gloriosa odisea de César Fournier. El rastreador que perpetuara su nombre y lo paseara con orgullo por los mares del sur desde 1940 hasta 1949 también desapareció entre el 20 y el 22 de setiembre, 121 años después. El héroe, comandando el "25 de Mayo" cerca de La Florida, y el rastreador homónimo, cerca de Punta Cono, a la entrada del canal San Gabriel. Ninguna de las dos tragedias ha logrado apagar, sin embargo, el valor y la gallardía asociados con el nombre Fournier.

"CIUDAD DE BUENOS AIRES"
La muerte de otro vapor de la carrera

Eran las cinco de la tarde del 27 de agosto de 1957 en el puerto de Buenos Aires. El silbato del "Ciudad de Buenos Aires" indicaba que era la hora de zarpar. El pasaje, compuesto sobre todo por entrerrianos que regresaban a su provincia, se agolpaba en cubierta a pesar del frío.

Los diarios de ese día comentaban los últimos acontecimientos políticos y la preparación de una asamblea que reformaría la Constitución. El presidente de aquel momento era el general Pedro Eugenio Aramburu, que llegó al poder por medio de las armas de la denominada Revolución Libertadora. A bordo de ese barco había, como en todo el país, peronistas y antiperonistas furibundos. Lo cierto es que por esos días estaba prohibido nombrar al presidente derrocado en 1955.

Lejos de cualquier discusión política, y más bien hablando sobre los últimos encuentros del fútbol porteño, el capitán del "Ciudad de Buenos Aires", Silverio Brizuela, tomaba mate en el puente de mando con un par de miembros de la tripulación. Era un oficial apreciado y sus hombres se sentían muy a gusto charlando con él.

El buque zarpó y el invierno hizo que la noche no se hiciera esperar. El comienzo del viaje no parecía deparar sorpresas, más allá de la niebla reinante.

El "Ciudad de Buenos Aires" se hallaba ya remontando el río Uruguay y estaba frente a la desembocadura del arroyo de las Víboras, a unos 1.500 metros de la punta sur de la isla Juncal, kilómetro 123,500 del canal, al sur de la paradisíaca ciudad uruguaya de Nueva Palmira.

El barco navegaba en dirección norte y a velocidad de crucero. Llevaba a bordo 89 tripulantes, 78 pasajeros de primera y 63 de tercera clase. La distribución de los viajeros en esas dos categorías se explica porque este barco carecía de segunda clase. En el buque se vivía el contraste entre la primera clase, que incluía buena comodidad, bar, restaurante y camarotes, y la tercera, donde los pasajeros que no llegaban a tiempo para ocupar las cuchetas existentes debían dormitar donde pudieran, incluso en el piso.

Era parte de la epopeya de viajar en la tercera clase del "Ciudad de Buenos Aires" el poder disfrutar, sin embargo, bien temprano en la mañana, de un típico desayuno rioplatense compuesto por café con leche con pan y manteca.

Pero aún faltaba mucho para eso. Era de noche, hacía frío y muchos de los pasajeros pensaban más en un vasito de caña o de ginebra que en el desayuno.

¿Me cede el paso?

En aquel lugar del río por el que transitaban a esa hora, un sitio considerado bravo para la navegación aun hasta por quienes estaban acostumbrados a lidiar con los dioses del agua dulce, el casco de acero del "Mormacsurf" se incrustó en el del "Ciudad de Buenos Aires".

El "Mormacsurf", barco de bandera estadounidense, venía navegando en sentido contrario al "Ciudad de Buenos Aires". El casco de acero del buque comandado por el capitán Kenneth J. Sommers era mucho más poderoso que el del barco de bandera argentina. Además tenía un desplazamiento superior en casi mil toneladas.

La inmensa proa del "Mormacsurf" tocó en el centro al "Ciudad de Buenos Aires" por el lado de estribor, dando la impresión de que el buque se hubiera partido por el centro.

De pronto fue el espanto en medio de la noche. Eran las 22.45.

El telegrafista del "Ciudad de Buenos Aires" radió inmediatamente el S.O.S.: "Hemos sufrido una colisión y necesitamos auxilio".

Los pasajeros del barco argentino en su mayoría estaban descansando, reponiendo energías para la jornada siguiente. Otros, en cambio, disfrutaban de la velada charlando o jugando a las cartas en el salón principal. Ni ellos ni los que trataban de dormir entendieron qué estaba sucediendo cuando sintieron el primer topetazo.

En un artículo aparecido en *La Prensa*, posteriormente, se relataba globalmente el testimonio de los que vivieron aquel momento: "Las declaraciones formuladas por los náufragos, divergentes en algunos sentidos, coinciden en señalar que a la hora citada se produjo un fuerte estrépito, en la zona de popa del buque, al que siguió una confusión que no permitió inmediatamente determinar el origen del inconveniente. A esta altura, por los altavoces de comando se escucharon órdenes de prevención, solicitando a los pasajeros el abandono de los camarotes, en los que se hallaban descansando, para que ascendieran a cubierta sin equipajes".

Y continuaba *La Prensa*: "La confusión reinante en ese momento impidió a muchos comprender exactamente el significado de la orden, por suponerse que se trataba de un inconveniente de menor importancia, disponiéndose a ultimar sus atuendos personales. Sin embargo, la siguiente orden transmitida por los altavoces fue: 'Pasar pallete de colisión', término que en usos marítimos significa obturar con una lona especial la entrada de agua en un rumbo. La nueva indicación previno a muchos de los pasajeros conocedores de su significado sobre la gravedad de la situación y esta interpretación correcta y definitiva provocó la alarma correspondiente, que fue seguida de precipitados intentos por ganar la cubierta".

"¡Quédense donde están!"

Por su parte, una pasajera del "Ciudad de Buenos Aires" contaba su pesadilla a Edmundo Drayton, periodista de *Leoplán*: "Yo viajaba sola en el 'Ciudad de Buenos Aires'; iba a Concordia a hacer refacciones en la tumba de mi madre, en el primer aniversario de su muerte, y a encargar una misa por el descanso de su alma. Cuando se produjo el choque, yo estaba jugando una partida de cartas con una pasajera muy simpática, la señora Ramona de Córdoba. El golpazo fue tan grande que la señora Ramona se cayó al suelo y yo fui lanzada, con la silla y todo, hacia una pared. Inmediatamente, el barco se inclinó hacia delante. Apenas reaccionamos de la sorpresa, la señora Ramona y yo, que estábamos cerca de la sala de máquinas, quisimos subir a la cubierta para ver qué pasaba. Pero entonces apareció el capitán en la escalerilla. Tenía la cara pálida y los ojos desencajados. '¡Quédense donde están! ¡Todo va a arreglarse enseguida!', gritaba", testimoniaba desde una cama del Instituto Dupuytren una sobreviviente del naufragio, María Amelia Velázquez de Sosa.

193

Los pasajeros que estaban en el salón comedor corrían despavoridos por los cada vez más inclinados pasillos hacia las cubiertas. Algunos se chocaban entre ellos, se resbalaban, caían, trataban de levantarse, una y otra vez. Las corridas comunicaban aun más la desesperación entre los pasajeros. Se habían acabado las distinciones entre primera y tercera clase, todos se igualaban en el objetivo de llegar al sector de lujo del barco para salvar la vida.

Los cuadros más desgarradores los protagonizaban las madres que trataban de aferrarse a sus hijos y los familiares y amigos que se buscaban a gritos por los distintos sectores.

El "Ciudad de Buenos Aires" tardó 18 minutos en hundirse, luego del segundo topetazo del "Mormacsurf". Existen dos versiones sobre este otro choque. Una señala que el barco norteamericano se acercó al "Ciudad de Buenos Aires" para proceder al trasbordo de pasajeros y otra que fue para hacer que el buque argentino encallara allí y no fuera llevado a la deriva por la fuerte correntada.

Por su parte, el carguero estadounidense también sufrió averías, pero lanzó al agua dos botes. Algunos testimonios señalan que éstos rescataron náufragos y otros que sólo se dedicaron a realizar reconocimiento de los daños sufridos por la nave madre.

En tanto, los pedidos de auxilio del "Ciudad de Buenos Aires" pusieron en alerta a varias chatas que navegaban por la zona, entre ellas la "Don Pedro" y la "Don Bautista". Al tiempo, partieron de Carmelo dos lanchas y el remolcador "Don Bartolo". Otros buques, entre ellos el argentino "General Artigas", también participaron de las tareas de rescate.

Las escenas eran escalofriantes. Los náufragos trataban de mantenerse a flote en medio de una enorme mancha de fuel oil que habían derramado los tanques del buque en que viajaban. Agitaban las manos en medio de la noche y gritaban a la espera de que desde alguna barcaza los escucharan o los divisaran. Entretanto, el frío los iba entumeciendo y muchos no pudieron resistir la espera.

Se escurrían como peces

La tarea de rescate se veía dificultada por la escasa visibilidad en medio de la noche y de la espesa niebla, y sobre todo por el combustible del que estaban impregnados los náufragos. Esto impedía tomarlos con comodidad y rescatarlos desde las chatas. A los tripulantes de éstas la gente se les escapaba de las manos. Los marineros hacían esfuerzos para que esto no ocurriera y se agachaban sobre la borda corriendo peligro ellos mismos para salvar la mayor cantidad de vidas que fuera posible.

La tarea fue ardua, dolorosa y hasta lacerante. Sin pedir nada, sólo rogándole a Dios para que les brindara más fuerzas que nunca, estos hombres lucharon durante horas contra la corriente embravecida, contra la desesperación de los que estaban en el agua y contra los nervios de los que ya habían rescatado y no podían reunirse con sus familiares. Sabían que la gente que aún estaba con vida en el río se encontraba en el límite de su resistencia.

Las operaciones de rescate finalizaron cuando ya no pudieron encontrar sobrevivientes.

La mayor parte de los náufragos del "Ciudad de Buenos Aires" fueron llevados a la ciudad uruguaya de Nueva Palmira, donde fueron recibidos con muestras de solidaridad sorprendentes, y el resto, a Carmelo y a la isla Martín García.

Los relojes marcaban las 10.30 del 28 de agosto cuando los primeros contingentes de náufragos comenzaron a desembarcar en el puerto de Palmira. Allí se hallaban presentes el cónsul argentino en Colonia, Enrique Calabresse, y en Carmelo, Ricardo Maffei, dispuestos a prestar toda la colaboración posible y a agilizar los trámites. En el muelle hubo escenas desgarradoras. Había madres a quienes nadie podía consolar. Habían perdido a sus hijos. A muchas de ellas se les habían resbalado de las manos por la correntada o por la viscosidad del petróleo.

Entre los sobrevivientes que desembarcaron en el puerto uruguayo había por lo menos tres heridos: un hombre con serias lesiones en la columna vertebral, una mujer con conmoción cerebral y otra con un embarazo muy avanzado, que podía dar a luz en cualquier momento. Por fortuna, en el muelle esperaban, desde muy temprano, varios médicos y enfermeras del hospital de Nueva Palmira. En realidad, todo el pueblo se había reunido allí para ver la llegada de los náufragos y aportar cualquier ayuda que se pudiera necesitar: abrigos, sábanas, frazadas, bebidas para combatir el frío, automóviles, alojamiento...

En tanto las noticias, en los primeros momentos, llevaron confusión y no condecían con la realidad. El primer cable sobre la tragedia, fechado en Buenos Aires, señalaba que "aparentemente no había víctimas". Lo que luego quedaría desmentido de plano, ya que hubo 94 desaparecidos, muchos de ellos miembros de la tripulación, entre los que se contaba el capitán Silverio Brizuela, que habría resuelto hundirse con su barco.

Sin embargo, las verdaderas noticias no tardarían en llegar. Los muertos podían contarse por decenas. Los cuerpos de muchos de los náufragos serían hallados más tarde en las costas uruguayas, pero en la mayoría de los casos, sólo el río podría dar cuenta de lo que pasó finalmente.

En cuanto al buque norteamericano, arribó al puerto de Buenos Aires a las 18 del 28 de agosto, a la dársena B. En ese instante, subieron a bordo los oficiales de la Prefectura Naval Argentina encargados de instruir el sumario correspondiente. Poco después tomó intervención el juez de turno, doctor Del Castillo, quien ordenó que el capitán Kenneth J. Sommers, junto con su oficial de guardia y el timonel en funciones en momentos de producirse la tragedia quedasen incomunicados.

El jueves 29, *La Prensa*, matutino porteño de gran tirada por aquellos años, titulaba: "No se conoce la suerte de casi un centenar de náufragos del 'Ciudad de Buenos Aires' ". Y explicaba a continuación: "El suceso, tal como lo informamos en nuestra pasada edición, ocurrió a las 22.45 de anteayer, a la altura del kilómetro 123,500 del canal principal del río Uruguay, entre las islas Juncal y Guazucito, a poca distancia del Paraná Guazú y al norte de la ciudad uruguaya de Carmelo".

Proseguía el artículo: "En ese momento, después de salir del Paraná Bravo, el buque norteamericano 'Mormacsurf', procedente de Rosario, entró en el canal principal y al aproximarse al lugar indicado avistó al 'Ciudad de Buenos Aires', que navegaba aguas arriba con rumbo a Concepción del Uruguay, puerto de destino. Ambos buques navegaban por el centro del canal y debían darse paso desviándose respectivamente hacia la derecha. Lo cierto es que el choque se produjo de modo que el 'Ciudad de Buenos Aires' fue alcanzado de lleno por la proa del 'Mormacsurf' cerca de la popa y por el costado de estribor. Es decir que uno u otro buque se cruzó y en tal circunstancia se produjo la colisión". Entra aquí el artículo en el abordaje de las causas de la tragedia, si bien no toma partido por uno u otro comandante.

Con mayor audacia, otro artículo periodístico de la época señalaba que la culpa habría sido del "Ciudad de Buenos Aires", que el barco navegaba en malas condiciones y que al "Mormacsurf" le correspondía pasar primero.

En lo que respecta a los protagonistas de uno de los mayores desastres producidos en aguas fluviales argentinas, sus especificaciones técnicas difieren de cabo a rabo. En términos boxísticos sería como comparar a un peso mosca con un peso pesado.

Los dos rivales

El "Ciudad de Buenos Aires" tenía 106,68 metros de eslora, entre perpendiculares, 13,41 metros de manga moldeada y 4,57 metros de puntal moldeado. Asimismo tenía un desplazamiento vacío, en el calado, de 9 pies y 5,45 pulgadas, de 2.460 toneladas de agua dulce, y una capacidad máxima de carga de 938 toneladas métricas.

Sus dos hélices de bronce eran accionadas por otras tantas turbinas Pearsons, de alta y baja presión, de un poder total de 5.985 de potencia al eje, de 265 revoluciones por minuto.

Su casco de acero había sido construido por Cammel Laird y Co. Ltd. de Liverpool, en los astilleros Birkenhead de Gran Bretaña, en 1914, y desde ese año hasta el domingo 25 de agosto de 1957, dos días antes de la tragedia, efectuaba los famosos viajes de la carrera a Montevideo. Aquel domingo, como anticipo de lo que iba a ser su violenta jubilación, el "Ciudad de Buenos Aires" se había incorporado al grupo de barcos que unían Concepción del Uruguay y Colón, Entre Ríos, con el puerto de Buenos Aires. Por aquellos años aún no se había proyectado construir el puente Zárate-Brazo Largo, y el trayecto obligado hacia la provincia de Entre Ríos era por vía fluvial.

El "Ciudad de Buenos Aires" poseía clasificación del Lloyd's Register of Shipping número 100-A, para navegar en el Río de la Plata. Tenía capacidad para 343 pasajeros en primera clase y 152 en tercera.

El otro protagonista de la tragedia, el "Mormacsurf" pertenecía a la compañía naviera norteamericana Moore McCormack Lines. Fue construido en 1944 en Pacsagoula, Mississippi, Estados Unidos, por los astilleros Ingalls S. B. Corporation. En su primer viaje, zarpó de Baltimore el 25 de mayo de 1944, con destino a Buenos Aires, adonde llegó a mediados de junio. Tenía 140 metros de eslora, 27,7 de manga y 8,85 de puntal. Su tonelaje bruto era de

7.980 toneladas y el neto de 4.558 y desarrollaba una velocidad de crucero de 17,5 nudos. El día de la tragedia, el "Mormacsurf" había zarpado del puerto de Rosario con un cargamento de 200 toneladas de carne envasada y se dirigía a Buenos Aires para completar la carga.

Los restos de la tragedia aún descansan en el río. Los palos del "Ciudad de Buenos Aires" aún producen estremecimiento en los pasajeros que se dirigen a la ciudad de Carmelo.

"ANDREA DORIA"
La travesía final

Los grandes transatlánticos de lujo duermen el sueño eterno. Los que no se hundieron fueron desguazados y vendidos como chatarra. En Nueva York, los muelles de la French Line, de la Cunard o de la Italian Line, en el pasado colmados de gente, están desiertos. En el mejor de los casos, fueron transformados en hangares o utilizados por la policía como depósitos de automóviles. En el peor, están en ruinas y sirven como refugio a una población marginal.

Para toda una generación de ricos estadounidenses que consideraba que una gira por Europa era la recompensa indicada luego de cuatro años pasados entre los muros de las universidades de Harvard, Yale o Princeton, los grandes transatlánticos representaban el primer contacto con el Viejo Mundo y simbolizaban el lujo, la clase y la vida agradable que transcurría entre París, Roma y Londres.

Aquellos transatlánticos eran considerados insumergibles, aun después de la legendaria tragedia del "Titanic".

Su desaparición es lamentada por los nostálgicos, que consideran que las actuales embarcaciones de crucero son demasiado modernas y conformistas. Entre estas personas que adoran vivir de recuerdos pueden contarse también las que coleccionan historias sobre naufragios de buques famosos...

Y los que llevan la nostalgia más lejos, muchos de ellos residentes en departamentos de Park Avenue, una de las vías más paquetas de Nueva York, o en residencias de verano de Rhode Island, pueden llegar a tener un cuarto lleno de recuerdos de un transatlántico difunto, incluso a causa de "muerte violenta". En casos menos originales, las piezas habrán sido adquiridas a precio de oro en ocasión de su desguace.

Uno de los transatlánticos considerado fetiche especial por los coleccionistas de tesoros y piezas náuticas exóticas es el "Andrea Doria".

El curioso y casi pecaminoso naufragio de esta gigantesca nave, orgullo de la marina mercante italiana, se produjo el 25 de julio de 1956. El hundimiento recordó la tragedia del "Titanic", ocurrida en 1912, y con la que tuvo puntos en común, a excepción del número de víctimas, que en el caso del "Andrea Doria" fue mucho menor. El hermoso barco de 29.000 toneladas, construido con los mayores adelantos de la ingeniería naval, había sido botado en 1951 y su costo había sido de 29 millones de dólares. Se lo consideraba un extraordinario exponente de confort y belleza.

El casco, dividido en doce compartimientos de mamparas verticales, había sido concebido para que el barco pudiera seguir a flote aun cuando las secciones adyacentes se inundaran. Como una muestra del refinamiento con que fue diseñado, contaba con una galería permanente de arte moderno, con obras de los más renombrados pintores, escultores y tallistas italianos contemporáneos. Su nombre recordaba a un famoso guerrero napolitano del siglo XVI.

Su travesía final, la del hundimiento, coincidía con la que estaba programada de antemano para ser su último viaje entre Génova y Nueva York. En este último transitar por su clásico recorrido, llevaba 1.709 pasajeros, entre los que se contaban 900 inmigrantes y un grupo de millonarios, gente del espectáculo y funcionarios. Había zarpado de Génova el 17 de julio de 1956.

Hay humo en tus ojos

Pocos minutos después de las once de la noche del 25 de julio, los más de 1.700 pasajeros y tripulantes de la nave se preparaban para el arribo, en las primeras horas del día siguiente, a Nueva York. Sin embargo, a las dos de la mañana —mientras a bordo aún algunos disfrutaban de la tradicional fiesta para celebrar la última noche de la travesía— la nave chocó contra el "Stockholm", un barco sueco de 11.000 toneladas, que horas antes había salido de Nueva York. La colisión se produjo a unos 70 kilómetros de la costa y a unos 300 de Nueva York.

En ese momento, la zona estaba cubierta por una intensa niebla, que se supone fue apenas una de las causas del desastre. Después del naufragio comenzó una investigación para precisar las causas, entre las que se incluyeron fallas humanas y del radar, aunque las responsabilidades nunca se aclararon por completo. Hasta el momento no se ha podido discernir cómo dos gigantes como el "Andrea Doria" y el "Stockholm", dotados de poderosos radares, pudieron chocar de una manera tan burda. Lo cierto es que el "Stockholm" quedó con la proa destrozada y algunos marineros muertos, en tanto el "Andrea Doria" comenzó un rápido giro a estribor y diez horas después del accidente se había hundido por completo.

Las rápidas llamadas de auxilio de ambos buques motivaron un gigantesco operativo de rescate. En el "Andrea Doria" se vivieron escenas de terror, pues viajaban familias enteras, y de heroísmo. Considerando la magnitud de los daños sufridos por el buque, que a raíz del accidente no pudo utilizar sus propios botes de salvamento, las víctimas fatales registradas fueron pocas: 51, todas como producto del encontronazo entre los dos colosos. Supuestamente, los sobrevivientes abandonaron el barco sólo con lo puesto, por lo que inmediatamente se especuló sobre la riqueza en joyas, dinero y obras de arte. En las bodegas, por otra parte, estaba almacenada una valiosa carga compuesta principalmente de telas, vinos, muebles, aceite de oliva y quesos de primera calidad.

El rescate

Hoy el lujoso transatlántico yace a una profundidad que se calcula entre 65 y 70 metros, frente a la isla de Nantucket, estado de Rhode Island. La hipótesis principal sobre su hundimiento era que una de las compuertas estancas cerca de la sala de generadores, que debería haber sido cerrada no bien se produjo el impacto, permaneció abierta. Otra sostenía que la compuerta, por un motivo desconocido, había desaparecido y el agua pudo penetrar fácilmente en todos los compartimientos de las máquinas.

Sin embargo, las exploraciones submarinas realizadas por el equipo del millonario Peter Gimbel, que durante años estuvo obsesionado con el naufragio del "Andrea Doria", revelaron en 1985 que el daño provocado en el casco a nivel de la sala de generadores fue muy importante, lo que hace superflua toda discusión sobre una compuerta abierta o cerrada.

En el lujoso transatlántico había tesoros muy interesantes, sin embargo a Gimbel sólo parecía interesarle la caja fuerte principal. Se decía que el interior del "Andrea Doria" era el oscuro refugio de algunos cuadros originales de Rembrandt, diamantes industriales, joyas, pieles y unas doce mil botellas de vinos italianos de primera línea. El conjunto era presuntivamente valuado en cuatro millones de dólares. Una buena suma para la época.

En 1981, Peter Gimbel —millonario y aventurero que a sólo 24 horas del hundimiento se zambulló en el Atlántico y extrajo las primeras fotos del "Andrea Doria"— rescató una de las dos cajas fuertes principales del buque, perteneciente al Banco de Roma. La preciada pieza estaba semienterrada en el cieno.

Con equipos adecuados, y acompañantes mediante, el millonario americano atravesó los setenta metros de profundidad marina que lo separaban de la gigantesca mole, y penetró en el barco por una brecha de diez metros abierta en un costado. Según su esposa, la actriz Elga Andersen, cuando los buzos volvieron a la superficie se encontraban un tanto alterados. Decían haber escuchado voces extrañas y amenazantes que los intimaban a dejar de inmediato el silencioso sepulcro marino.

Tiburones policías

La caja fuerte fue llevada al acuario de tiburones de Coney Island y depositada en una pileta llena de los temibles animales, a fin de disuadir a posibles ladrones. El cofre fue sellado por la policía estadounidense y no sería abierto sino hasta 1985.

La apertura de la caja fuerte fue televisada en vivo y su emisión capturó la atención de toda la audiencia norteamericana. Sin embargo, la aventura, dejando a un lado su costado de intriga y suspenso, resultó un fiasco. Gimbel tuvo que reconocer que había sido cierta la presunción de que los pasajeros, a punto de recalar en el puerto de Nueva York, habían retirado las alhajas y el dinero.

Por su parte, el Banco de Roma afirmó, después de un silencio de 25 años, que nunca embarcó fondos importantes a bordo del barco. Por su parte, un marino del transatlántico declaró, con la misma falta de premura, que el cajero de a bordo tuvo tiempo de entregar joyas a numerosos pasajeros.

En cuanto al espíritu maligno descripto por Elga Andersen y confirmado por su marido, algunos lo estimaron un golpe publicitario para promover el filme realizado por el matrimonio sobre el "Andrea Doria". Otros se inclinaron por pensar que Peter Gimbel consideró que la segunda caja fuerte podría ser la valiosa, y que de esa forma ahuyentaría a los curiosos.

Otro elemento importante a considerar en relación con las causas del hundimiento del "Andrea Doria" lo constituye el libro titulado: *La casa de Brostrom: retrato de una compañía mundial*, escrito por Algot Mattson y publicado en Nueva York en 1980. En él se afirma que el "Andrea Doria" estaba pobremente diseñado, lo que era sabido por sus dueños y por el capitán, Piero Calamai, pero que el hecho fue ocultado luego del naufragio.

En el momento del accidente, Mattson era funcionario de relaciones públicas de la empresa marítima sueca Brostrom, dueña del "Stockholm". Su libro afirma que el diseño del "Andrea Doria" era deficiente y que tanto la línea propietaria del buque como el gobierno de Italia conocían el hecho.

Testimonio de un naufragio

"¡Abandonen el barco!" pueden ser las palabras más aterrorizantes que un pasajero o miembro de la tripulación de un barco pueda escuchar. "Estuvimos esperando horas y horas", recuerda Isa Santana, que sobrevivió al hundimiento del "Andrea Doria" en 1956 con Annabel, su pequeña hija de seis años. "Si el barco se hundía yo estaba preparada. Estaba preparada para abandonarlo, tenía a mi hija a mi lado y eso era lo más importante".

"Recuerdo que había mucha histeria y excitación en todo el barco," dice Annabel Santana, en la actualidad gerente de los laboratorios Wang de Nueva York. "Los niños no tienen sentido del peligro. En ese aspecto tuve suerte. Pero creo haber visto gente muy alterada y me di cuenta de que la situación era seria, desesperante".

"Yo recuerdo todo", dice Isa, y comienza a narrar su dramática experiencia, compartida por muchos que, por desgracia, nunca pudieron contarla. "Alrededor de las 11 de la noche, yo estaba en el nightclub, ubicado cerca de la proa, saludando a unos amigos. Estábamos tomando una última copa, riendo y conversando, cuando repentinamente sentimos que el barco se sacudía con violencia. El mozo dijo que quizás habíamos golpeado una roca. La ventana estaba cerrada, de manera que no pudimos ver que otro barco se acercaba".

En efecto, el "Stockholm" había navegado directamente hacia el "Andrea Doria" y su proa impactó en el transatlántico italiano de tal manera que murieron instantáneamente 52 de las 1.709 personas que había a bordo.

"La actriz Ruth Roman estaba con nosotros", continúa Isa. "Se levantó de inmediato para ver si su hijo, de tres años de edad, estaba bien y yo hice lo mismo con mi hija. Todo lo que me importaba era ella. Nuestras cabinas estaban una junto a la otra. Nos sacamos los zapatos y corrimos a las cabinas de los niños. Para ese momento el barco ya se estaba inclinando. De manera que nos llevamos a los chicos y salimos a cubierta. Estuvimos horas paradas ahí esperando. La gente no hablaba demasiado pero la tensión se respiraba en el aire. El capitán nos dijo a todos (en italiano) que conserváramos la calma. Veíamos subir a los pasajeros de tercera clase, cubiertos de aceite sucio después de haber nadado en sus cabinas. Ellos tuvieron una experiencia diferente a los que viajamos en primera clase. Muchos parecían haber sobrevivido 'un naufragio aparte'. Recuerdo que el capitán, Piero Calamai, quería quedarse en el barco y morir en su puesto. Recién a último momento recibió un cable donde decía que un helicóptero venía para rescatarlo. Murió en 1972 en Italia. Su hermano era oficial de un barco que explotó en el Mediterráneo a las pocas semanas del hundimiento del 'Andrea Doria'. Una verdadera vergüenza."

"El 'Île de France', que venía de Nueva York camino a Europa, rescató a muchos de mis amigos del 'Andrea Doria'. Yo terminé en el 'Stockholm' con mi hija y el hijo de Ruth Roman. Ruth llegó a Nueva York antes que nosotros porque el 'Stockholm' estaba averiado. Al menos se mantuvo a flote. El 'Andrea Doria' no tuvo la misma suerte."

"Una vez que los chicos estuvimos a salvo en el 'Stockholm', nos quedamos dormidos", recuerda Annabel Santana. "Mi madre vino a despertarnos para que viésemos el hundimiento del 'Andrea Doria'. El barco producía un inmenso remolino mientras se hundía. Era definitivamente una imagen para recordar, pero no algo que quisiera volver a ver. También recuerdo que en el momento del impacto yo estaba dormida en la cama, realmente no sé qué me despertó, si el ruido del impacto o todo el bullicio creado por gente gritando y corriendo. Mi madre vino y me dijo: 'Rápido. Ponete el salvavidas'. Era verano y todo lo que llevaba puesto era mi pijama. Tenía frío. Un caballero que estaba en la cubierta me dio las medias que llevaba puestas. No sentí realmente miedo hasta que tuve que bajar por una escalera de soga hasta el bote. Estaba sucia de aceite y me resbalé, pero por suerte caí dentro del bote."

En su odisea para burlar a la muerte, Isa Santana tuvo que abandonar muchos objetos de valor que se hundieron con el buque, incluyendo una costosa filmadora que había comprado para un amigo, así como numerosas joyas que estaban a resguardo en la caja de seguridad del barco. "Todavía conservo las llaves de mi cabina y las de la caja de seguridad, sólo porque las tenía en la cartera en ese momento. Quizá debí pensar en tomar mis pertenencias, pero era demasiado peligroso ir de un lado al otro por el barco. Había vidrios rotos en todas partes. Yo tenía muchas alhajas de familia y otras nuevas que había comprado. Cuando uno viajaba en la primera clase de un barco tenía oportunidad de usar esas cosas. Sin embargo no me importa haberlas perdido, ya me compré otras nuevas. En realidad, lo que atesoro son esas dos llaves, son algo muy especial para mí. Nosotros solíamos viajar todos los años en buques italianos, y cuando pienso en todo lo que podría haber perdido ese día (su hija), guardo esas dos llaves como piezas valiosas de joyería".

El motivo del viaje —como el viaje mismo, de no haber mediado la tragedia— era el descanso y el placer. "Íbamos a Italia de vacaciones a las montañas", explica Isa. "Visitaríamos a mis padres y al resto de mi familia para celebrar con ellos el sexto cumpleaños de Annabel".

"Era una época muy festiva", agrega Annabel. "Me habían regalado unos vestidos preciosos, que terminaron en el fondo del mar. Según recuerda mi madre, tuve un par de pesadillas en mi próximo viaje, pero eso fue todo".

"Afortunadamente, ella era demasiado pequeña para estar asustada", recalca Isa. "Yo tuve miedo en ese momento, pero ahora puedo hablar tranquila. Por desgracia, mucha gente que conocimos a bordo no pudo salvarse. Otros no seguían las instrucciones y saltaban al agua. No podían esperar, querían abandonar el barco que se hundía".

A pesar del desastre del "Andrea Doria", las Santana continúan viajando a lo largo y ancho del mundo. Para dos amantes de altamar como ellas, no hay peligro posible que las obligue a quedarse en tierra firme. "Nos mantuvimos lejos de los barcos por un año", dice Isa. "Yo amo el agua, ¡y ni siquiera sé nadar! También adoro la vida de a bordo, por eso con mi hija nos embarcamos en muchos cruceros, y el viaje más corto es de dos semanas".

"GUARANÍ"
Compañero de tumba del "Fournier"

El mundo está con la mirada puesta en el espacio cósmico. En 1958 los norteamericanos alcanzaron a los rusos en la carrera astronáutica al lanzar el satélite Explorer I.

La guerra fría entre ambas potencias continuaba y se concentraba sobre todo en el espacio aéreo y en el cósmico. En tanto, el mapa del mundo ardía en Argelia y Medio Oriente. Ese año nacía la República Árabe Unida, por fusión de Egipto y Siria, presidida por Nasser, y el Líbano entraba en divisiones muy peligrosas que pronto lo llevarían a una guerra calamitosa.

El mundo árabe, al igual que en la actualidad, era el que seguía aportando más novedades. En Irak, un golpe revolucionario concluyó con la proclamación de la república y resultaron asesinados el rey Feisal II, el príncipe heredero y el primer ministro.

En Europa, el general Charles de Gaulle se convertía en presidente de los franceses. En tanto, en Cuba, los hombres de Fidel Castro y Ernesto Che Guevara luchaban en la Sierra Maestra para lograr el desalojo del dictador Fulgencio Batista y la toma del poder. La vestimenta guerrillera y la barba pasaron a ser un emblema de las luchas izquierdistas en todo el mundo. Mientras, en la Argentina, en febrero, el doctor Arturo Frondizi era elegido primer mandatario en unas elecciones en las que contó con una importante masa de votos peronistas, merced a la venia que el jefe del justicialismo le brindó desde España. Desarrollo y petróleo eran las palabras de moda y acompañaban a Frondizi como si fueran un mote. El nuevo presidente asumió el mandato el 1° de mayo. El país entero estaba a la espera, una vez más, del gran milagro argentino.

Este panorama hacía que el reino de los mares se viera reducido a ser apenas el escenario de actividades de rutina en las que pocos, salvo los involucrados en estas tareas, reparaban.

El único incidente producido en los mares australes que logró conmover a la población argentina en 1958 fue la ocupación por la Marina de Guerra nacional del islote Snipe, situado en el canal de Beagle, y al que tanto nuestro país como Chile consideraban de su soberanía. Este hecho motivó la protesta chilena en agosto de ese año. No se sospechaba que meses más tarde otro hecho ocurrido en el Atlántico Sur iba a enlutar a la Armada argentina.

Marche un barco para la Antártida

En ese contexto zarpó de Ushuaia, en la tarde del 14 de octubre de 1958, el remolcador "Guaraní". Tenía la orden de cumplir una misión de apoyo al vuelo de un avión Douglas DC-4 de la Marina que arrojaría medicamentos en un destacamento de la Armada, ubicado en la isla Melchior, en plena Antártida.

Desde la aeronave se arrojarían ocho bultos, que caerían en paracaídas en el destacamento donde se hallaba convaleciente el cabo segundo cocinero Mario Oliva, pieza fundamental de la dotación argentina en el helado continente. El cabo segundo corría riesgo de infección y había sufrido una importante pérdida de sangre, dado que a raíz de una apendicitis aguda los médicos de la base decidieron operarlo el 9 de octubre.

Si bien el suboficial se recuperaba paulatinamente, era indispensable que llegara cuanto antes a la isla Melchior un envío de plasma sanguíneo y de antibióticos.

Fue entonces cuando las autoridades de la Secretaría de Marina tomaron la decisión de enviar al lugar un avión que dejara caer los medicamentos mediante paracaídas. Pero la aeronave iba a necesitar apoyo en el agua debido a las condiciones tormentosas en la zona.

En esas horas, un violento temporal se estaba gestando en el Atlántico Sur. La primera transmisión hecha desde el remolcador "Guaraní" a la base de Ushuaia indicaba su posición pocas horas después de haber zarpado y daba un conciso informe sobre la cercanía de una tempestad.

Poco después, llegó a la base un parco comunicado que indicaba que el barco se encontraba "corriendo" una tempestad. En el acto, se puso en acción todo el sistema de salvamento con que se contaba en el sur, que involucraba a la Marina de Guerra y la Aeronáutica argentinas y a la Marina chilena.

En la madrugada del 15 de octubre, el "Guaraní" se comunicó por última vez. Desesperado, el operador de radio del remolcador contaba que unas diez millas al sur de la isla Nueva, la popa había empezado a ser invadida por el agua. Rato después se había inundado también la sala de máquinas y el barco presentaba averías en las escotillas, por donde se filtraba el agua helada. El cuadro de situación exigía, por lo tanto, buscar urgente refugio en la isla Nueva.

Entre las medidas de emergencia a bordo del "Guaraní", se dispuso detener los generadores que proporcionaban fluido a los equipos radioeléctricos de comunicaciones, razón por la que se pasó a transmitir por radiotelegrafía con un equipo de auxilio de 500 kilociclos, de menor expansión que el anterior.

Pero ya no hubo necesidad de seguir transmitiendo por mucho tiempo más. A las cinco de la mañana hacía rato que el comandante del remolcador, capitán de corbeta Gerardo Zaratiegui, había dado la última señal de vida a través del equipo de radiotelegrafía. Sin embargo, las autoridades de la Armada tenían la esperanza de que Zaratiegui hubiera podido acercar la nave hasta alguna caleta hasta que amainara la tempestad. De hecho, el comandante del "Guaraní" había intentando protegerse en la bahía Aguirre, a la vista de la isla de los Estados.

Pero querer y poder no es lo mismo allá donde se chocan los océanos y el mar ruge con fuerza sobrenatural.

Así fue que no hubo más noticias del remolcador de alta mar. La nave de la Armada nacional fue devorada por el océano en una zona de gran profundidad, en las inmediaciones del extremo sur de la isla de Tierra del Fuego. Murieron sus 38 tripulantes. El casco de la nave quedó a 173 metros de profundidad.

Mientras tanto, el avión DC-4 llegaba a su destino y entregaba los medicamentos luego de recorrer 1.300 millas en medio de la tormenta. No había sido necesario finalmente el apoyo desde el mar.

Valiente muchachada perdida en los mares del sur

La dotación del remolcador "Guaraní", perdida para siempre en las heladas aguas, estaba integrada por el capitán de corbeta Gerardo

Zaratiegui, el teniente de fragata Juan Carlos Sanguinetti, el teniente de fragata Nelson Patterlini, el teniente de fragata médico Elías Tanus, el teniente de navío José Palet, el suboficial primero maquinista Domingo Tasisto, el suboficial segundo maquinista José Romero, el suboficial segundo maquinista Carlos Aguirre, el cabo principal Fernando Díaz, el cabo primero maquinista Luis Moyano, el cabo primero maquinista Orlando Meinardi, el cabo primero Pedro Pereyra, el cabo primero enfermero Vicente Bolloli, el cabo primero señalero Leonel Cruz, el cabo segundo maquinista Marcelo Spiazzi, el cabo segundo E. Druetto, el cabo segundo Julio César García, el cabo segundo Salvador Suárez, el segundo cocinero Tomás Torres, el marinero primero F. Pimienta, el marinero primero electricista B. Quinteros, el cabo principal P. Gragniello, el marinero segundo furrier Andrés Viqueira, el marinero segundo maquinista Oscar Vera, el marinero primero maquinista Armando Neme, el conscripto Tomás Cabral, el conscripto Hermenegildo Encinas, el conscripto Julio Gogorza, el conscripto Salvador Gilabert, el conscripto Oscar La Marca y el conscripto Jorge Jacob. El mayor de todos ellos no había cumplido 37 años.

Dos de los marinos habían abordado la embarcación momentos antes de partir a cumplir su misión en la isla Melchior, y en los primeros momentos, la nómina de los marineros desaparecidos en la tragedia del "Guaraní" incluía al conscripto clase 1937 Juan Laderach, que por esas cosas del destino no llegó a subir al barco.

La búsqueda se prolongó por cinco días consecutivos y con las mismas condiciones meteorológicas. En un avión Catalina de la fuerza naval viajaban periodistas de distintos medios para cubrir la información de fuente directa. Todos ellos corrían también el riesgo de sucumbir en la tempestad.

Finalmente se determinó que el "Guaraní" se había hundido a sólo 15 kilómetros de cabo Hall. Había navegado en las condiciones previstas para casos de tempestad y fue arrastrado por el temporal. Una mancha de aceite, que fue divisada por los aviones el 19 de octubre, siguió por mucho tiempo frente a ese cabo, por lo que se presume que ése fue el lugar del accidente. En la zona también aparecieron maderas flotando. El lugar está cubierto de témpanos, y las tormentas y temporales son frecuentes, por lo que toda navegación en la zona es siempre extremadamente peligrosa.

El "Guaraní" no era un remolcador de río o de puertos, sino un barco de mar, apto para la misión que se le había encomendado. Precisamente había sido construido para el salvamento de altura. Se lo consideraba un buque "guapo" para capear los temporales y "veterano de la voltereta". Esto quiere decir que en alguna ocasión, arrastrado por las olas, había llegado a dar una vuelta entera de campana para seguir navegando normalmente en la superficie.

Aunque, por cierto, lo ocurrido en la ocasión de su hundimiento no había tenido que ver con aquel incidente que le hiciera ganar buena fama de buque resistente. El "Guaraní" tenía 932 toneladas de desplazamiento, con 45 metros de eslora, 10 de manga y 5,70 de puntal.

"Tenemos el penoso deber de informar..."

Recién el 20 de octubre la Secretaría de Marina informó que dio por perdido al remolcador "Guaraní", del que no se tenían noticias desde el 15. El 22 aparecieron algunos restos más importantes de la embarcación en la costa occidental de la Isla de los Estados.

Una de las hipótesis acerca del accidente señala la posibilidad de que el remolcador haya navegado a la deriva bordeando la costa sur de Tierra del Fuego y llegado así a la boca del estrecho de Le Maire con olas de hasta 20 metros de altura, salpicando a 300 metros, como luego comprobaron los aviadores que participaron en la búsqueda. El "Guaraní" contaba con una extraordinaria capacidad de lucha, a la que se sumaba la reconocida experiencia del capitán de corbeta Gerardo Zaratiegui.

Esta hipótesis principal era complementada por la conjetura de que el barco había zarpado del puerto de Ushuaia haciendo agua por la popa, hecho que habría pasado inadvertido, y que finalmente, cuando era imposible repararlo, se produjo la catástrofe. Cuando el buque entra a puerto, normalmente se le abren las bocaescotillas que se resguardan con una tapa de madera, pero al momento de zarpar, se procede a clausurar esas comunicaciones que, por otra parte, se hallan a una altura muy próxima a la línea de flotación, sustituyendo la puerta provisional de madera por chapas que se aseguran perfectamente con tuercas. El hecho de haberse dispuesto de manera perentoria y urgente la partida del buque, pues una misión ineludible lo exigía, hizo que la nave zarpara con parte de la tripulación inexperta en las tareas del barco, pues la tercera parte de la dotación estaba en uso de licencia.

A las pocas horas de navegación, alejados de puerto e imposibilitados de ganar la costa, a la vista e inmediata, por la dureza del temporal, se vieron en la impotencia de cerrar las bocaescotillas, mientras la vía de agua iba inundando inexorablemente la nave sin posibilidad de remediarlo.

Todo el país se estremeció ante la realidad de la pérdida del "Guaraní", tragado por el impiadoso Atlántico Sur. En la memoria popular el hecho se fundió inexorablemente con la tragedia del "Fournier", ocurrida unos pocos años antes. Hoy son varias las calles en distintas localidades argentinas que recuerdan a los marinos de ambos barcos, y en Buenos Aires dos empresas de transporte colectivo de pasajeros llevan sus nombres: la 91, "Remolcador Guaraní", que cubre el trayecto Retiro-Aldo Bonzi, y la 86, "Rastreador Fournier", que une el barrio de la Boca con González Catán y otras poblaciones del conurbano bonaerense.

ÍNDICE